# 家父長制はいらない
## 「仕事文脈」セレクション

仕事文脈編集部

# はじめに

『仕事文脈』は、仕事や生き方、社会を考えるリトルマガジンです。近年、社会課題や政治にまつわるテーマを多く取り上げていますが、特にジェンダーやセクシュアリティ、フェミニズムにまつわる記事に大きな反響があります。そこで、この数年にわたり掲載した記事を集め、一冊の本として再編集しました。

さまざまなトピック、問題点を検証していく過程で、ジェンダー差別の要因が依然として強固な男性支配的な社会システムにあり、その背景には「家父長制」があることを実感しました。差別を生み出す構造を指し示す言葉としての「家父長制」に着目し、それを解体していきたい、という意図を込めたのが本書『家父長制はいらない』です。

# 目次

本書は『仕事文脈』２０２０年5月～２０２３年11月刊行号に掲載した文章の再録を中心に書き下ろしを加え構成しています。筆者の加筆修正があったもの以外は掲載当時のまま再掲しました。掲載、執筆年月は各文末に記載しています。

# 1 ことば・表現

メディアやSNS、広告でなにげなく目にするものへの違和感の正体

# 小さな言葉

小沼理

仕事でときどき、SEO対策の記事を書くことがある。SEOとは「検索エンジン最適化」を意味する言葉で、SEO記事とは、一言で言えばGoogleなどの検索エンジンで上位に表示されるために、サイトや、記事の内容に色々な工夫を施した記事のことだ。私たちが何か気になったことを検索して、あるサイトが上位に表示されたとしたら、それはGoogleがそのサイトを「有益な情報がある」と判断している、ということになる。

SEO記事の中には役立つものもあれば、「●●（話題の人物）の現在がヤバいと話題！本名は？　年収は？　調べてみました！」みたいなタイトルで、目にするだけで疲れてしまうようなものもある。ただ、検索エンジンの判断基準も日々改良され複雑になっているので、あまり変な記事を検索上位に見かけることは徐々に減ってきているように思う。最近は基準の複雑化が進んだせいか、SEO対策を指南する記事に「細かいアルゴリズムを気にするより、まずは人間が読んで有益だと思える内容になっているかどうかが大事！」などと基準が書かれているのを目にすることもある。とにかくそんな風に、SEO記事を作る人たちは試行錯誤を繰り返しながら、検索で1位になることを目指している。

SEO記事にあまりよくない印象を抱いている人もいるかもしれない。数年前は粗悪なウェブ記事の代名詞みたいに言われることもあったから、その気持ちはわかる。私も昔はあまり良い印象がなかった。ただ、誰もが趣味のちょっとしたことから人に言えない悩みまでを検索窓に打ち込み、そこから情報を得ている構造がある以上、無視はできないものだと思う。

たとえば、あなたが自分はゲイかもしれないと悩んでいて、「ゲイ」というキーワードで検索してみたとする。その時、正確な言葉の定義や当事者の声が最初に目に入るのと、偏見やアダルトコンテンツばかりが表示されるのではどちらがいいだろう。SEO対策の有無によってその結果を自分が望むほうへ近づけていけるなら、武器の一つとして持っておく価値はあると思っている。

SEO記事の書き方は、かなり単純化して言えば①ある特定の言葉をキーワードとして選び、②そのキーワードで検索した時、結果の上位に表示されるように工夫する、というものだ。工夫の仕方はたくさんあるのだけど、そのキーワードを記事の本文や見出しにほどよく散りばめながら書くのが基本になる。

以前、ある寝具メーカーのウェブメディアでSEO記事の執筆に関わっていた。そこではメーカーから記事に入れてほしいキーワードを指示されるのだけど、ある時、その中に「夫婦」というキーワードがあった。

その時私が依頼されたのは二人用のベッドを紹介する記事だった。あえて「夫婦」という言葉で性別を規定しなくても、「パートナー」や「カップル」といった言葉でも代替できそうな内容だった。

ライターとして文章を書く時、その表現で傷つく人はいないか、意図せずこぼれ落ちてしまう人がいないか、いつも気にかけている。こういうケースでは、極力より多くの人を包摂できる言葉を使いたい。それに私は今、同性のパートナーと暮らしていて、一つのベッドで一緒に寝ている。これから彼と生活をする中でベッドを買い換えることがあって、どれが良いか調べるとしても、「ベッド　夫婦」とは検索しないだろう。いい情報が見つからなければ表現を変えて、何番目かにそのキーワードで検索することもあるかもしれない。でも、その時の私はきっと何かに負けたような気分でいると思う。「夫婦」というキーワードが散りばめられた記事を読む時も、いないもののように扱われている感じがして少し寂しくなるだろう。この文脈の中でこの言葉を使って書くのは、自分と似た人にそんな思いをさせる文章を書くことだった。

ＳＥＯを気にしなくてよければ、私はしれっと表現を変えて提出しただろう。でも、文脈や内容の前にキーワードが優先されるＳＥＯ記事では、その言葉を避けて通ることができない。キーワードが変われば、その検索でヒットしなくなるからだ。

あんまり面倒くさいことを言ったらもう仕事を依頼されなくなっちゃうかな、と悩みつつ、別の言葉に代替することはできないかと間に入っている編集部を通して相談してみたけれど、答えは残念ながらノー。企画の立て付けを変えるのは難しくて、その時は結局、私がその制作を降りるという消極的な方法で事態を回避することしかできなかった。

私の意見が通らなかったのは、こうした場面では「パートナー」といった言葉よりも「夫婦」というキーワードを使ったほうが効果が大きいという判断があったからだろう。たしかにそうなのかもしれないが、その現状に追随していたら、数の少ない人たちが小さな違和感を感じ続ける状況は変わらない。

この話は「（LGBTの）LやGばかりになったら区が滅ぶ」みたいな明らかな暴言と比べればずっと些細なことかもしれない。でも、こうした小さな積み重ねで、私たちが普段使いする言葉は決まっている。だからまずは自分だけでも違和感のない言葉を選びたい。その選択の積み重ねの中で、うまくいけばこの先今回のようなケースで私の提案が通りやすくなったり、そもそも最初の設定が納得のいくものになったりするだろうし、なかなか効果が出なくても、少なくとも違和感のある現状を再強化せずに済む。小さな言葉を選ぶことから自分が望む社会を選ぶことははじまっているはずだ。

＊

この文章を書いたのは２０２０年のことで、いまではＳＥＯ記事を書く仕事はまったくやらなくなった。この数年の間にＳＥＯ対策の方法も変わっているかもしれない。

でも、「どんな言葉を選ぶか」の重要性は今も変わっていないと思う。たとえば、「主人」「奥さん」といった言葉がどんな価値観に支えられているか気づくこと。「彼」「彼女」といった人称代名詞は、こちらが判断するのではなくその人が希望するものを使うこと。社会に張り巡らされた家父長制を拒むことも、日常的に使う言葉を意識することからはじまっている。

おぬま・おさむ／ライター（2020年11月、2024年4月加筆）

# Ｓｈｉｔが溢れるインターネット空間

濵田真里

インターネット空間は、女性にとって安全な場所ではない。女性のアカウントと男性のアカウントでは、見える景色が全く違うのではないだろうか。インターネットの登場当初、発言者のジェンダーに左右されないコミュニケーションが可能になるのでは、と期待されていた。ところが蓋を開けてみると、現実社会の性差別はインターネットにも蔓延している。特に、若い女性がＳＮＳ等での嫌がらせや誹謗中傷といったオンライン・ハラスメントに遭う確率が高いことは様々な調査によって明らかになっており、２０２０年にプラン・インターナショナルが15歳から25歳の日本人女性５０１人に実施した調査では、自分や知り合いの若年女性に対するオンライン・ハラスメントを「とても頻繁、もしくは頻繁に経験した」割合は51％で、「時々経験した」が24％、「経験したことがない」という回答はたった15％だった。若さ以外の要素としては、２０１８年の国連報告書では、国会議員を含む議員や人権活動家、ジャーナリストといった、「物言う女性」が女性の中でも特にオンライン・ハラスメントの標的となる存在として挙げられた。これは、ジェンダー平等とフェミニズムに関連する言論や表現、または女性の権利を擁護する者に対する暴力や脅迫、嫌がらせの場合、より顕著になる。つまり、オンライン・ハラスメントの目的は、女性を統制および攻撃し、家父長制の規範や役割、構造や不平等な権力関係を維持および強化するために使用されると同報告書では指摘された。

うるさい女を黙らせる――これはまさに、ケイト・マンが『ひれふせ、女たち』（小川芳範訳、慶應義塾大学出版会）の中で提示した「ミソジニー」という概念に当てはまる。マンは、家父長制に抵抗したり逸脱したりしようとする行為に対する「処罰」がミソジニーであると論じた。つまり、女性であれば誰でもミソジニーの標的になるわけではなく、「男性にたいして権力や権威を及ぼす地位にある女性、男性への奉仕的役割を避けたり逃れたりする女性」や、フェミニストといった「女性らしからぬ女性」たちが典型的な攻撃対象となる。

私は女性議員に対するオンライン・ハラスメントの研究をしているが、調査によって明らかになったのは、インターネット上での被害は、これまでも存在していた女性議員が現実社会で受けているハラスメントが、テクノロジーを介することによって増幅、強化、可視化された問題だということだった。そして、インターネット上では情報が永続的に残るという構造や、物理的な距離を超えて、匿名性を保ちながら攻撃できるといったテクノロジーによって、被害が加速していく。ちなみに総務省の２０１４年の調査によると、日本におけるTwitterの匿名利用率は75・1％で、米国や韓国、英国の約２倍である。世界の中でもダントツに高い。また、２０１９年後半におけるTwitterのコンテンツやアカウント削除の法的削除請求は世界の45％を日本が占めており、誹謗中傷の多さを示唆している。しかし、そのうちコンテンツが表示制限されたものは2・３％で、アカウントが表示制限されたものは０％だった。ＳＮＳ運営企業のオンライン・ハラスメントへの対応は十分なものではなく、女性たちが安全に利用できる場所だとは言い難い。

現実世界における女性差別が、オンライン上でも再生産されている状態を、Ｓｈｉｔ

と呼ばずになんと呼ぶ？　そしてこのＳｈｉｔを根本的になくすには、社会に蔓延るミソジニーをなくしていく、つまり家父長制秩序を変えていかなければならない。本当に途方もなく長い道のりに感じるが、私の小さな行動が未来を創ると信じて、今日も私はＳｈｉｔにＮＯと言い続ける。

はまだ・まり／研究者（２０２１年５月）

# 空白のビルボードを見つめて

小林美香

通勤など移動中の電車内で広告観察を始めるようになったのは、２０１８年頃のこと。車内に溢れる脱毛広告の表現の中に気に障るものを感じたのがきっかけで、公共空間に東京五輪のスポンサー企業の広告やボランティア募集の広報が増えていった時期だった。ちょうどその頃軽度の抑鬱状態にあってクリニックに通っていたこともあり、自分にとってどういうものや状況が心理的な負担になっているのかを、振り返ってみる必要があると感じていた。心身が弱っていると、外部からの情報や刺激が負荷としてのしかかるので、「電車内で広告を目にするだけで苛ついてしんどい」という感情を抱え込むのではなく、「広告のこの表現が、私を苛つかせる」と、自分の感情に作用する要因を記述するために、写真を撮り、メモを書くようになった。このように、半ば自分の心理分析のために広告観察を始めたところもあるのだが、観察を重ねながら次第に広告とジェンダー表現に関する問題への関心を深め、調査を重ねながら雑誌などへの寄稿を経て『ジェンダー目線の広告観察』(現代書館)を上梓するにいたった。

元々、展示の企画や美術館での作品調査、学校での講義や執筆活動などを通して、写真やアート作品の分析や解説をしてきた経験から、広告を目にすると図像や文言との関係を分析したり、周囲にある広告と比較したり、何かしらの共通点を見つけて読み取ったりすることを「広告観察」として実践するようになったのだが、作品と広告とでは見る態度において大きな違いがある。美術館やギャラリーでの作品鑑賞は、展示空間に赴き、入場料を払ってでも見る価値があると感じるからこそ成り立つ行為だが、街中や電車内の広告は見たいと思っていなくても視界に入ってくるものであり、また見ていることを意識していなくても見させられ、情報や価値観を刷り込んでくる。招致活動が展開されていた時期から東京五輪開催に反対していた私にとって、2010年代末に急増した五輪関係の広告は、視界に入るだけで忌諱感情を引き起こすに充分なものだったし、その中で女性のアスリートやモデル、タレントは「美しさ」や「強さ」という意味を過剰に託されていて、第二次安倍政権の「女性活躍推進」政策とのつながりの中で読み取られるものだったから、私を苛つかせるのは当然だった。

社会全体がコロナ禍に突入する中でも東京五輪は開催されることに憤りを感じながら「広告観察」を重ねる中で、広告を記録し分析することが、その表現に内在する家父長制的な価値観を意識化することにつながるのではないか、またその価値観がいかに視覚化されているかということを指摘することが、消費社会・政治・就労・教育など社会のあらゆる側面に浸透するコミュニケーションとハラスメントの問題を理解するために必要なのではないだろうか、と考えるようになった。都市地理学者のレスリー・カーンが著作『フェミニスト・シティ』(晶文社)の中で、男性基準で計画された都市について論じ、「私たちの都市は石やガラスやコンクリートに刻み込まれた家父長制である」と述べている。彼女に倣うならば、広告が埋め尽くす都心の公共空間の景色は、ポスターやビルボード、デジタルサイネージ(電子看板)に塗り込められた家父長制であり、『ジェンダー目線の広告観察』は、その景色の一端を描き出すものになった。

広告観察の過程を振り返ると、社会情勢を反映した表現の変化に気づくこともあった。

世界中がコロナ禍の混乱に呑み込まれた２０２０年、緊急事態宣言発出で行動制限が加えられた一時期は車内広告の量も随分減少したが、秋口ぐらいから巣篭もり需要を反映してスマホのオンラインゲーム、酒類、美容整形の広告が増えていった。長引くマスク生活の中で、公共空間の中では対面してお互いの顔を見ることが難しくなったために、人の口元や大げさな表情、仕草それ自体が視線を惹きつける要素になり、お笑い芸人やユーチューバーのような知名度の高い人物の驚いたり、おどけたような表情を捉えた写真が頻用されるようになった。先行きの見えない状況の中で街ゆく人の鬱々とした気分を少しでも紛らわせることも意図されていたのだろうが、口元それ自体が、アイキャッチとして機能するようになったことの表れとも感じられた。さらに、２０２１年の夏前頃から、五輪スポンサー企業の広告も含め、さまざまな広告に登場する人物のオーバーアクション気味な表情や仕草に加えて、五輪祝祭ムードを高めるための「応援」や「熱狂」、「歓喜」、「感動」という空疎な文言が広告の中で踊っていた。当時目にした写真や映像、キャッチコピーには、混迷を極める世の中で、人々が直面する困難な状況から束の間に注意を逸らし逃避させ、耽溺・依存させるファンタジーを刷り込む洗脳的な装置としての広告のありようが剥き出しになっていた。

私が広告観察を続けた動機の一つとして、常にマスクを装着することを余儀なくされていた日々の中で、たとえ直接対面する生身の人ではなくとも、ポスターのような印刷物であれ、スクリーン上の映像であれ、人の顔を見たいという気持ちが強く働いていたことは否めない。明るくフリーズしたような表情を、あるいは優しく微笑みかけたり誘ったりするような表情を、何らかのものやサービスを売りつけるための広告を通して見させられ続けると、人の表情や激しい感情の動きが反映された形相に接するということは本来そういう経験ではなかったはずだとか、他者に顔を晒して対峙するとはどういう意味を持つのだろうか、とマスク装着が求められなかった日々のことを思い出しつつ、根本的なことを考え込んでしまうこともしばしばだった。

偶さかの行きがかりから広告を観察対象としてその表現への関心からリサーチを重ねて本を書くまでにいたったが、自分自身の経験を振り返ると、人々を消費行動へとせき立てる広告というもの全般に対して、惹きつけられるものが中にはあるものの、内包される家父長的な価値観が透けて見える表現として好意的な感情を抱いてこなかったことを改めて認識するようになった。時折、駅のプラットフォームで、何も掲出されていない空白のビルボードを見かけると、これまでに何枚も広告を貼っては剥がされを繰り返

されてきたその表面がかつて貼られていた紙面の断片を残滓として留め、抽象画のように見えるときがある。そういう状態の表面を眺めて、美しいとさえ感じたり、気分的に負担がなくとても楽に感じられるのは、おそらくそれが何かの意味を伝えたり、ものを売ったりする上での役立つという責務から束の間ではあっても解放された状態でそこに存在しているからではないだろうか。表現を通して人が人に対して何かを伝えることは大切な営みではあるけれども、お互いに常に何ら働きかけたり、伝え合うことがなくとも、無理をせずに共にいることができる状態を求めているのかもしれない、とも思っている。

こばやし・みか／写真研究者（2023年5月、2024年4月加筆）

# 2 カルチャー

業界内のハラスメントやジェンダーバランスの偏りを変えていく

# 「伝え方が悪かったかな、勘違いさせてごめん！」

ニイマリコ

コロナ禍の中で〝文化的な場所〟……劇場や映画館、そしてライブハウスなどの多くの場所で、働いている、利用する、発表する人々が声を上げている。声を上げる、と言っても、それを確認するのは主にＳＮＳのタイムラインで、である。私はミュージシャンの端くれであるが、音楽以外の現場のこともより気にするようになった。

コロナがあってもなくても、実は結構ギリギリで運営しているのがライブハウスの常だ。２０２０年の春、夏あたりは特に、通常営業が出来なくなったライブハウスを支えようと様々なドネーション企画が乱立しており、今こそ助け合っていこう！　という熱い雰囲気すらあった。私も世話になったり好きな場所には少しでも足しにと、ささやかな額ではあるがこれに参加した。便利な世の中だ。Twitterに流れてきたリンクから飛んで、入金もすぐに出来る。しかし、iPhoneの画面をはじきながら「フレキシブルに対応できるインターネットに明るいスタッフが居たり、有名なアーティストを輩出した有名店だったりすれば資金はすぐに集まるけれど、小さな老舗とかはどうするんだろう。何だか〝選別〟している気分になるな。」というモヤモヤが生まれた。

クラスターが発生したライブハウスがニュースになったりと、コロナ発生の初期は世間的に肩身が狭くなってしまったこともあり、感染対策には非常に気を遣って運営している店が殆どだ。しかし最近、とあるライブハウスの店長が、妻子ある身でありながら出演者の女性何人もと関係しており、それを一人の名のある女性ミュージシャンがSNS上で告発する、という事件があった。私は二度ほどだがこのライブハウスで演奏をしたことがあり、客として行ったことも、知人が店長と組んでユニークな配信企画をしているのもチェックしていたので、衝撃はありつつ、しかしこういった事件については〝よくある〟こと、とも思った。ライブハウスでのセクハラ。私自身は性的な被害にあった経験は無いのだが、被害者から相談（というか、愚痴りという体裁をとって、彼女たちは心の痛みを最小限に留めようとしていると感じた。性被害にあったときに〝よくある〟

行動である。）を受けたことは何度もあるからだ。あたかも友達付き合いのような親密さを店側と出演者が持つと、〝野暮なこと言うな〟という雰囲気が出来上がってしまう。女性を蔑むような発言をしたり、下世話な笑い話にしたりするのを、そういうの良くないよ、と指摘をしても「伝え方が悪かったかな、勘違いさせてごめん！」で終わらせようとする。そんな時、私はその人物から〝信用〟を減点して距離を取ることしか、結局出来ていなかったのだ。演奏できる場所に居られなくなったら、という不安の方が勝っていた。

この件について様々なツイートを読んだ。「またライブハウスが悪者に」「単なる痴話喧嘩を大袈裟な」「どうでもいいけどこの店長いなくなったら困る」「告発はやってんね（笑）」「叩かれていい人を認定して叩いて、正義に酔ってる、怖い」などなど。ライブハウスというのは〝ロック〟な場所で、〝ロック〟は〝アウトロー〟が嗜むものなので、世間一般の規範からはどうせズレてるんだから、それは置いとこう。今は店が潰れる潰れないの方が死活問題なんだぞ。ライブハウス関係者、アーティストや客の〝声〟から、そんな意識が透けて見えるような気がした。

個人の中にある〝権力志向〟がハラスメントを発動させるのだ。人と人とが関わる中でその〝権力〟の構図は猫の目の様に変化する。それが展開される〝場所〟は経営云々だけではなく、関わっていく己こそが持つ権力性についてもシビアに考えていかなければならない。なおも〝文化的で豊かな場所〟であり続けるためには。

にい・まりこ／ミュージシャン（2021年5月）

# 「伝統」を解体する際に

小田原のどか

「伝統」と聞くと、ひるんでしまう。往々にして、変化への希求を抑圧するために用いられるように思われるからだ。「日本人の伝統」「伝統的家族観」と言われるときには、「日本人」なる区分がいかなる暴力とともにあったか、婚姻制度が性差別の温床としての天皇制の問題に直接的につながっていることなどを想起して、考え込んでしまう。

私は東京を拠点に、彫刻家・評論家として活動しながら、現代美術に携わるアーティストによる労働組合「アーティスツ・ユニオン」や、美術家、映画監督、演劇指導者、役者など様々な表現の現場に関わるプレイヤーによって構成された「表現の現場調査団」の活動にも関わっている。一見、自由で制約がないように思われる表現の現場は、つくられた「伝統」の宝庫でもある。

２０２２年８月、表現の現場調査団は「表現の現場ジェンダーバランス白書２０２２」をウェブサイトで無料公開した。きっかけは、表現の現場で生じるハラスメントの実態を調査した「表現の現場ハラスメント白書２０２１」だった。１４４９名のアンケートでは、「(何らかの) ハラスメントを受けた経験がある」は１１９５名、「身体を触られた」が５０３名、「望まない性行為を強要された」との経験が１２９名であった。極めて深刻なハラスメントが、現在進行形で起きている。ハラスメントの実態調査を経て、こうしたハラスメントが横行する構造を調べる必要があるとの判断から、ジェンダーバランス調査が始まった。

ジェンダーバランス調査では、美術、演劇、映画、文芸、音楽、デザイン、建築、写真、漫画の９分野と、美術大学・専門学校など表現を学ぶ教育機関を対象とし、登竜門となる賞や国民的知名度を有する賞や栄典における審査員と受賞者、そして美術教育の現場における教える側と教えられる側のジェンダーバランスを数値化した。調査対象期間は、２０１１年から２０２０年までの10年間である。

その結果、上述の９分野の賞について、審査員が男性77・1％という数字が出た。活躍の舞台を広げること、あるいは評価を決定づけることにもつながる賞や栄典の判定を行う審査員の8割近くが男性であることは、一体何を意味するのか。

表現の現場でよく聞かれる言葉がある。「実力があれば評価される」「優れた作品をつくれば結果はついてくる」などである。これらはしばしば、「実力があれば評価されるのだから表現者の性別は関係ない」「優れた作品をつくれば結果はついてくるのだから作者のジェンダーなど些末なことだ」というかたちで用いられる。

「表現の現場ジェンダーバランス白書2022」があぶり出したのは、ここでの「実力」や「優れた作品」を評価する仕組み自体に偏りがあるということに他ならない。審査員の男性平均は77・1％、受賞者の男性平均は65・8％である。審査における同質性の高さが、受賞者の同質性の高さにも影を落としている。分野によってはより極端な結果も出た。文芸分野の評論を対象とした賞では、審査員と大賞受賞者が10年間ともに男性が100％という賞が散見された。

評論家は「伝統的」に男性が担ってきたのだから仕方がないと思う方もいるかもしれない。映画監督や演出家、指揮者も男性比率が極めて高く、一般にも「伝統的に男性の就く仕事」と認識されている。しかし実際には、評価の決定や発表の機会などに関わる男性中心の偏りが、活躍できる者のジェンダーにも偏りを生み、それがあたかも「伝統」と見なされているに過ぎないのではないか。そのような「偏りの再生産」も、調査結果から導き出されることのひとつである。

美術教育の現場も見ていこう。東京藝術大学、多摩美術大学、武蔵野美術大学、東京造形大学、日本大学芸術学部、女子美術大学では、学生は男性26・5％、女性73・5％と女性比率が高いものの、指導者の教授の割合は男性80・8％、女性19・2％と女性比率が低く、指導される側とする側に著しいジェンダーバランスの不均衡があることがわかった。

このような環境では、「実力」や「優れた作品」を決めるのは男性であるという誤った認識を学生がさらに強化し、評価を下す男性視点の内面化を強いられることにもつながる。また、数少ない女性教員に学生の相談が集中することによって、女性がケア要員として固定化されてしまうことも起こる。それらが深刻なハラスメントを引き起こす原因となっているケースも報告されており、「ハラスメント白書」では、学生時代に表現に関わった610名中、半数以上の376名がアカハラ被害に遭ったことが明らかになっている。数値化することで、構造的な問題が可視化される。不均衡を数値化することが、変化の第一歩となる。ジェンダーバランスの偏りは、男性優位・女性劣位、という単純な二項対立には収まらない。男性のみが決定権を持ち、同質性の高さを維持し続ける構造は、女性とともに男性以外のマイノリティが排除されていることと等しく、翻って、男性を含むすべての人に対して性差別的であるからだ。そしてまた、男性／女性という二元論から排除される者たちの存在を重視する必要がある。

同時に、「伝統」という言葉のみを問題視して、個別の文脈や背景を無視することもできない。そのように考えるのは、アイヌ民族の出自を持つミュージシャンでアーティストのマユンキキの仕事を知っているからだ。アイヌ民族の伝統的な文化には、男は〇〇／女は〇〇という区分が存在し、それがジェンダーの視点から批判されることもある。しかしやはり、何よりもまず、アイヌ文化の担い手たちの主体性や判断こそが尊重されるべきだろう。

「伝統」をめぐっても、文脈の差異や、異なる立場からの切実さがある。そうしたことに、できうるかぎり、注意深くありたい。

おだわら・のどか／彫刻家・評論家（２０２３年11月）

# 美術の場でセーファースペースをつくる

ケルベロス・セオリー

展覧会という空間は閉鎖的になりやすく、そこでは様々に権力性がはたらき、交差している。

フェミニズムに辿り着き、自身のアイデンティティに深く関わる作品を作る私たちは、美術大学を中心とした生活の中でフェミニズムについて学んだり、安心して自分の経験を共有できる場を知らなかった。私たちはフェミニズムの情報に乏しい地域に住んでいて、女性としてまなざされる存在であるだけでなく、クィアであること、留学生であることなど、それぞれが異なる経験を持っている。フェミニズムの思想のもとで、それらが差別的な制度の中で引き起こされる困難として共有できた時、展覧会という場の権力の非対称性やそこで生まれる差別や暴力を問い、そこに集まる人が尊厳を傷つけられることなく鑑賞や会話をすることができる環境を必要としていることに気づき、そこから「ケルベロス・セオリー」の活動がはじまった。

ケルベロス・セオリーが参照しているのは、社会運動の中で生まれた「セーファースペース」という考え方だ。「セーファースペース」は権利回復や差別の是正を求める社会運動の場においても差別や暴力が生まれてしまったことを背景にしている。様々なバックグラウンドを持つ人々が集まる空間でその場で生まれる暴力を最小化し、〝より〟安全な空間を作り続けていく試みが「セーファースペース」である。

ケルベロス・セオリーのセーファースペースの試みは、まず、自分たち自身がどのような困難に遭遇し、何を問題だと思っているのか、自分たちが持ち(得る)権力性について明言することから始まった。それが初めに展覧会のマニフェストになり、展覧会やイベントの指針になり、会場案内や読書会でのセーファースペース・ポリシーになり、記録集やZINEになった。

ケルベロス・セオリーはアーティスト・コレクティブの形をとっているが、全員が同じ方向性を目指しているのではなく、ジェンダーイシューやフェミニズム、クィア理論に興味を持ちそれぞれの場所で活動しているメンバーが、セーファースペース・ポリシーを共有し、その上でそれぞれの表現を実践するための場としてある。愛知県で活動を始めた2021年から、ZINEを作ったり、展覧会を開催したり、フェミニズムに関する読書会やイベントをやってみたり、さまざまな形で活動が続いてきた。2023年4月の展覧会「FLUID HOUSE」(See Saw Gallery+hibit、愛知)では展覧会の参加メンバーは7人になった。

はじめにYOUYOU、Moche Le Cendrillon、山もといとみの3人が愛知の美術大学で出会い、お互いの作品を共有しながらフェミニズムについて話をするようになり、そこから展覧会を企画するアイディアが浮かんだ。展覧会の構想の過程でまず持ち上がった問題は、そもそもフェミニズムの話ができる場やその視点を持って作品を見てもらう基盤がない中で何ができるのか？　ということだった。

同じ時期に、別の大学で「名大ふぇみけん」というフェミニズム研究の非公式のサークルが立ち上がっていた。研究会ではセーファースペースについて改めて学び考える機会があり、その会を経て、フェミニズムの話ができる場を増やすことは、セーファースペースを実践とともに考えていくことと一緒にやらなければならないことだと話し合い、展覧会においての軸となった。

第一回目の展示後は、展示や記録集、ZINEなどが媒介になって一緒に活動する人が増えてきたり、場所や機会をもらうことで活動が続いている。

ケルベロス・セオリーの発足と活動は、愛知県の地域性に根ざしているというよりはむしろ、フェミニズムについての情報アクセスがし辛い地域で同じ時期に地道な活動を始めた個人が偶然に愛知県内で出会い、それが現在も続いている。

フェミニズムを知っていても、フェミニストでも、何らかのマイノリティ性を持っていても、だから差別や暴力を再生産しないというわけではない。わたしたちは差別や不均衡を作ることで続いてきた世界の中で生きているから、それを学び落とし、そうでないやり方を続けていくためには、常に知り、考え、試行錯誤していかなければならない。

不平等や差別について安心して話し、意見を交わせる場を作ってみること。

そのような場所が可能であるという経験をそれぞれの中に作り、日常の中に持って帰ること。

私たちが格差や差別に殺されずに生きていくためにはフェミニズムが必要だ。そして、フェミニズムのことをいつでも話せる隣の人も。フェミニズムが非日常のままでは、わたしたちは日常を変えることができない。

小さく思われることでも長く続けてそのような場を作り、記録を積み重ねていくことで、かつての私たちのように、セーファースペースを自らの手で作らなければならない人たちへのアクセスポイントを作りたい。

大きな力が無視してきたもの、重要だけど見逃されてきたことにいちいち立ち返って、自分たちにできる範囲で工夫してやってみる。

私たちはどこにいても、何度も立ち返ったり、話したり、やり直したりしながら、よりセーファーな場を考えていくことができるのだ。


けるべろす・せおりー／アーティストコレクティブ（２０２３年11月）

# 3 家族

## 会社員の夫・専業主婦の妻・子ども2人――標準世帯の「標準」が意味するもの

# 文学の中の「オンナ・コドモ」
## ——あるいは家庭——の領域の仕事

小川公代

家族と仕事を結びつけるもの、それはケア実践の場としての「オンナ・コドモ」の私的領域ではないだろうか。そして、「女も外に出るならオトコ並みに働け、子どもの躾は家庭（母親）がせよ」といったような議論が生まれるほど、[*1]ケアは常に社会の周縁におかれ、その価値も貶められてきた。注意しなければならないのは、林香里氏がカギ括弧付きでカタカナ表記するこの「オンナ・コドモ」と「オトコ」の領域は決して生物学的な男女の性別や、身体的成長段階としての大人と子供の別を表しているのではないということだ。

もちろん「オトコ」の場とみなされる公的領域にも、大臣や国会議員、大企業の役員としても女性が存在しており、反対に「オンナ・コドモ」の領域にも、あえて育児休暇をとって育児に専念する男性も増えてきている。そんな現代の日本においても、「オトコ」「オンナ・コドモ」と象徴的に表わす語用はまだ流通している。たとえば、子供やお年寄り、そして病気で体が不自由な人々が――たとえ男性を指す場合でも――「オトコ」の世界の人として形容されることはあまりないだろう。他者による世話（ケア）を必要とする人々は基本的に「オンナ・コドモ」、あるいは家庭の範疇に入れられてきた。

このような「オンナ・コドモ」の世界は、文学作品にも描かれている。川端康成の短編実録小説「十六歳の日記」は、川端が数え年十六歳の時、寝たきりで盲目の祖父をケアしながら、その病状の記録を綴った日記である。この小説で祖父の小水の世話をするのは主に「私」である。彼が学校から帰ると、祖父が「ししやってんか、ししやってんか。ええ」と病床で唸るので小水の介助をするのだが、祖父がたいそう痛がるため「私」は涙ぐんでいる。

いずれは「オトコ」社会に出ていくであろう――しかも多感な時期の――少年である「私」が、「オンナ・コドモ」の範疇にあるケアの仕事を期待されることに葛藤を覚えている。例を挙げると、「私」が小水の世話をするとき「病人の蒲団を捲り、溲瓶で受ける」

のだが、なかなかでないので、つい不平や嫌味を言ってしまう。他方、「オトコ」社会を退いて、今や家族の重荷になってしまっている祖父は「平謝りに詫び」、日々やつれていく。なぜこのような葛藤や申し訳なさが生まれるのだろうか。それは、「オトコ」の領域にいた、あるいはこれから入っていく人間にとってのある種の居心地の悪さでもあるのかもしれない。

他方、介護の手助けをしてくれているおみよという近所に住む五十前後の百姓の女性がケアの達人として表象されている。夕方におみよが去ってしまえば、夜の小水の世話は「私」がしなければならない。現代の文脈では「ヤングケアラー」と呼ばれるであろう「私」は、ケアの仕事を請負う新参者である。おみよに頼りっきりで、常に蚊帳の外に置かれているような感覚がある。早朝に祖父のところにやってくるおみよの方が「私」よりも頼もしい存在として描かれるのも、「オンナ・コドモ」の領域における彼女の豊富な経験に因るだろう。

不足ばかり言う「私」をおみよは諌めてもいる。「自分のことばかり考えて、世話する人の身をお考えやすことはちっともないよってに、かなわん。お互いに因果とおもて（思って）世話してますのにな」と言う。おみよは祖父が世話を必要としているから、あるいは「因果」だと思って、日々の仕事を丁寧にこなしていく。「オトコ」の世界に存在する名誉や権威、あるいは仕事の「価値」というものにさえ無頓着なのである。病状が悪化してくると、早朝にやってきたおみよを祖父は片時も傍から離さず、「やれしし、やれ寝返り、やれ茶や煙草や」と頼み事をするため、おみよは「私」が学校から戻るまで家に帰れずにいた。

ケアは成果が数値で表せるような仕事ではない。そういう意味では、病に臥した祖父も目に見えないケアを提供している。おみよに孫が生まれ「子産れ餅を三十軒」作ったところ、あちこちからお祝いをもらったと報告したとき、祖父は自分の苦しみを棚上げし、おみよが貧しい家でありながらそれだけのお祝いをもらえたことを心底喜び、嬉し泣きをする。そのような心の交流のあった二人には血縁にはないケアの繋がりができていた。おみよは辛抱強く祖父の相続の悩みについて傾聴し、慰めもする。祖父が亡くなる二日前、「私」の名は呼ばれなくなり、祖父は「おみよ。おみよ。」と連呼するようになった。語り手の、あるいは祖父のおみよへの信頼が書き綴られたこの短編実録小説は、「オンナ・コドモ」の仕事を決して軽視しない。「伊豆の踊子」の語り手や「雪国」の葉子にもおみよのような献身的なケア実践が見られるが、川端文学の真髄は、このような営為に要求される忍耐強さや真面目さに価値を与えることなのだろう。

祖父と孫の関係とケアの実践が描かれる物語といえば、最近の作品では、角田光代『タラント』(中央公論新社)がある。主人公山辺みのりの祖父、多田清美は戦争という「オトコ」の世界から無事帰還したものの、片足を失っていた。清美は足を失う前は「走るのも跳ぶのも得意なこと」だったことが判明するのだが、みのりが記憶しているかぎり働いていたことはない。どちらかといえば、周りから気遣われる対象である。みのりが大学に進学し、故郷を離れて上京すると、清美が昔の友人に用があると言って、度々上京するようになる。みのりと祖父、それから故郷で不登校になった甥の陸は「オンナ・コドモ」のケアの価値を体現している。祖母がうどん屋で仕事をしているのとは対照的に、彼らは仕事や勉強に生きがいを見出すことができていない。みのり自身、「オトコ」の社会で活躍するような親友のジャーナリストの宮原玲や写真家の遠藤翔太とは違い、自分には「使命感」がないという劣等感を抱えているせいか、祖父の清美に親近感を感じている。

この小説では、仕事をしていない清美の存在感がないということはない。むしろ収入を得る仕事をしている祖母の存在の方が希薄である。「十六歳の日記」では決して華やかな表舞台の仕事ではない「介護」を担っていたおみよのように、清美もまた人知れず重要な「仕事」を担っていたのだ。物語の終盤で、かつての清美が、まだ年若い持丸涼花というパラリンピックの陸上選手が成長する途上で重要な役割を果たしていたことが判明する。みのり自身も、華やかな世界で活躍していないかもしれないが、人の目が届かないところでケアを提供している。彼女のケア精神を象徴するのが、大学時代にボランティア活動でカトマンズの孤児院を訪れたときの一場面である。みのりは「笑わない女の子」の存在に気づいており、ずっと彼女を気遣っている。

「十六歳の日記」に描かれる「私」やおみよによる介護の仕事は、川端自身が幼少期に経験したり、目撃したものである。「オトコ」社会とは異なり、「オンナ・コドモ」の世界、すなわち家庭生活においては、他者を世話する仕事は一般的に評価が低い。だが、「十六歳の日記」の「私」とおみよは軽視されているというより、むしろ一人では生きられない祖父を見捨てずにいられる彼らの超人的な忍耐強さが称えられている。『タラント』の主人公みのりもまた祖父を慮って度々上京してくる事情も無理やり聞き出すようなことはしない。ただ、祖父が人生をまっとうできるよう、甥の陸と力を合わせてある尊い「仕事」をやり遂げる――それは祖父の願いをかなえる手助けをするという仕事である。しばしば看過され、評価されない「オンナ・コドモ」――あるいは家庭――の領域の仕事が言祝がれる小説を読むと、ケアの仕事の価値に改めて気づくことができる。

おがわ・きみよ／研究者（2022年5月）

＊1　林香里『〈オンナ・コドモ〉のジャーナリズム　ケアの倫理とともに』（岩波書店、2011年）、六頁。

# シルバニアファミリーから考える

浪花朱音

## 子が親になるサイクルで、遊び継がれるシルバニアファミリー

3歳の娘が、シルバニアファミリー（以下、シルバニア）で遊んでいる。彼女の机の上には動物の人形や、お店や、車なんかが窮屈そうなほど並んでいて、日々そのようすは拡張しつつある。もちろん親である私が買い与えてきたからなのだが、何を隠そう、私自身が子どもの頃から、大のシルバニア好きなのである。

シルバニアは、1985年に日本の玩具メーカー・エポック社から登場した。「シルバニア」とは動物たちの暮らす村の名前で、その名の通り「シルバニア村で暮らす動物の家族」がテーマだ。これまでボードゲームなど「男児向け」玩具をつくっていた会社が、

「女児向け」に、ヨーロッパで主流のおもちゃだったドールハウスを日本に持ち込んだのが、シルバニアの始まりとされている。

90年代初頭生まれの私は、その第2次ブーム世代だ。平面的な家のスタイルではなく、「いろんなところから手を入れて遊べる」と大ヒットした「赤い屋根の大きなお家」（1994年）と幼少期をともにした世代である。何も意識することなく、私が生まれた頃にはすっかり、王道玩具の席にシルバニアは鎮座していた。時は巡り令和、親になった我々世代が子どもにシルバニアを与えているというわけだ。「赤い屋根の大きなお家」も、幾度かのモデルチェンジを経て、今なお主力商品の一つとして販売されている。

## 35年の時を経て変化するシルバニア村

まずは大まかに、シルバニアのラインナップについて触れておきたい。

前述の通り「シルバニア村」を舞台に、住人となる動物、住処である家、そして動物たちの働き先でもあるショップや病院、小学校や幼稚園など、さまざまに展開されている。興味深いのはそれぞれの家、ショップなどが発売されるたびに、どのファミリーによるものなのか設定づけられていることだ。なかでも今、主役的存在となっている「ショコラウサギファミリー」（２００７年）は「赤い屋根の大きなお家」を住処とするだけでなく、子どもたちのために建てたという「きいちご林のお家」も所有し、おじいさん、おばあさんは離島とクルーズ船も持っているなど、もはや村の地主レベルである。

発売から35年のなかで村人や建物などが増え、暮らしの様相も変化してきた。特に画期的だったのは、１９８７年発売の「アーバンライフシリーズ」だろう。村から離れた街を舞台にしたシリーズで、近代化した暮らしを描いていた。このシリーズで発売された自家用車や電話、テレビといった電化製品は数年後に村のアイテムとして展開されるに至っている。シルバニアというと、カントリー調の家で古き良き暮らしをしているイメージの人も多いと思うが、今やそんなことはない。洗濯板とタライはドラム式洗濯機に、ホウキとちりとりはコードレス掃除機にと、格段に村の暮らしの利便性は上がっているのだ。

ハード面のみならず、動物たちの職種にも時代は表れている。初めてのショップ「村のベーカリー」（１９８７年）が登場して以来、パン屋が不動の人気を誇るが、今はカメラマンや、ファッションデザイナーを職業として設定された人形もいる。私が子どもだった頃、将来なりたい職業を聞かれたら多くの女児が花屋やケーキ屋と答えていた。

特別ケーキや花が好きなわけでもないのに、それらが「女の子の仕事」と無意識的に思い込んでいたと思う。今、同じ年頃の子どもがどう答えるのかはわからないが、バリエーションが広がり、ジェンダーにとらわれないものになっていると信じたい（と、ここまで書き、「小学生男女別将来の夢ランキングトップ」[*1]なるサイトを見ると、いまだ女児の1位は、パン屋・ケーキ屋なのであった）。

## 家族のあり方は多様化しているのか

そもそもシルバニアの根本にあるのは「ファミリー」だ。家族のあり方も変わってきそうなものだが、エポック社はどう考えているのか。疑問を抱き始めたのが、現在も販売されている「ショコラウサギのお父さん・家具セット」（２００８年）を見た時のことだった。

これは初めてシルバニアを手にした子どもがすぐに遊べるよう、家具と人形1体がセットになっているもの。１５００円以内とお買い得感もあり、ファーストシルバニアとして選ぶユーザーも多い。その内容に、私は違和感を感じた。「お母さん」は冷蔵庫、「お父さん」はソファとセットなのだ。

古い記憶が蘇る。私の育った家は「女が家事をするもの」だった。母が忙しく夕飯を用意する頃、父はいつもソファに座り、食事が目の前に運ばれてくるのを待っていた。私は妹と2人姉妹で、母が食事の支度をするそばで、一瞬でもテレビに目を奪われようものなら、父に「お母さんを手伝いなさい」と叱られた。子どもだったから、働かざるもの食うべからずというしつけだったのか、私たちが「女だから」なのかはわからない。間違いなく言えるのは、台所に立つ母とソファに座る父という姿は、私がかつて見ていた嫌な光景の一つだ。

現在さまざまな場面で、家父長的な意識を変えるべきだという風潮にある。シルバニアでもそうした気運が高まっており、最近では「くるくるメリーのベビーベッド」(2020年)といったベビー用品の販売イメージには、父親役の人形が赤ん坊をあやす姿が使われている。なんでも商品開発の際、エポック社は「多様性に配慮している」そうだ。

人の姿ではなく〝動物たちの家族〟という製品の特性のおかげで、文化や人種の壁にとらわれることのない商品展開ができたのだと考えています。現在では新商品を作る際に海外メンバーの意見を取り入れ、グローバル基準で開発しています。特に人種やジェンダー、文化の違いなど、国内メンバーだけでは気づきにくい感覚や視点もあります。こまやかな配慮をしながら多感な子供たちにバイアスをかけないよう心がけています。[*2]

果たしてそうなのか、もう一石投じたい。そもそもシルバニアファミリーが展開している「家族」は、両親が揃った家族、子どもがいる家族、異性カップルによる家族、同一の種族による家族だけなのだ。その上「お母さん」はワンピースにエプロンをつけ、[*3]「お父さん」は必ずズボンを履いている。顔がほぼ同じなのだから服装で区別するほかないのだが、エプロン姿のそれを「お母さん」とすんなり受け入れる娘を見ていると、ちょっと待て、と声をかけたくなる。あなたの家ではもはや、父親が食事をつくり、母親がソファに座っているほうが常なのに。娘にとっては実の家族のあり方より、人形を通して見るもののほうがわかりやすいのかもしれない。しかもそうして疑問を持たず受け入れられるのは、彼女には両親が揃い、しかも男女であり、同じ家に暮らしているからではないか。今日、片親家庭は少なくないし、別居している夫婦もいる。国籍の異なるカップルもいるし、日本では現状ハードルが高いが、同性カップルが養子を認められるなどし、育てることだってある。そういった家庭の子どもは、どうこの玩具を受け入れるのか。

たしかに、シルバニアでは現在ウサギ、リス、ペンギン、キリン、ゾウなど多種多様な動物が展開されていて、それら異種族が一つの地域で暮らしているのは平和的だ。多様性がある、と言えるかもしれない。でもその言葉が指す範囲はもはや狭くないだろうか。付け加えると、これまで人形は無名だったが、2020年より名付けて展開されている。一覧を見ると、フレア、ジョージ、サリー、クリストファーと圧倒的にアングロ・サクソン系が多いのだ。シルバニアは現在70以上の国で販売されていることから、「世界中どこでも同じ名前で呼んで親しんでもらえるよう」という思いが込められているらしい。なぜ、こうした名前が「世界中どこでも」呼びやすいのか。その一言がふくむ意味を、私は一度とまって考えたい。

## シルバニアで理想郷は叶うのか

人形遊びは、自分の理想的な環境や設定を描き、つくる遊びだと思う。こんな家に住みたいと思いながら、家具を並べていくように。赤ちゃんのお世話をしたいという幼心から、人形を甲斐甲斐しく世話するように。子どもの見立てがテンプレのようになってしまうのは仕方がない。でも、与える側の人間が「お父さん役の人形が2人いてもいいんだよ」「女の子役の人形だけが料理をつくったり、掃除をしたりするわけじゃないよ」など一言添えておくことが、必要だと思う。

最後にシルバニアの最新例として、「おしゃれにスタイリング！ ビューティーヘアサロン」（2021年）をここに残しておく。ポニーを採用することで、今までいなかった長い髪を持つ人形を生み出し、ヘアアレンジを楽しめるという商品だ。このサロンはポニーのお母さんが経営しており、家族としては女の子が一人。今のところ父親は登場しておらず、もしかして女手一つで育てているのでは？ とつい想像してしまう。とはいえ「お父さん」がポニー一家に登場しないのは、「ロングヘアは女性のみ」という固定概念があるのではないかと、私は再び勘ぐっている。

なにわ・あかね／ライター・編集者（2022年5月、2024年6月加筆）

〈参考文献〉『シルバニアファミリー展 大図録』（２０１９）

＊１ 【２０２２最新版】小学生男女別将来の夢ランキングトップ10を発表！　将来の夢がない子供の割合は？　親はどうやって応援する？
https://bsc-int.co.jp/media/3002/

＊２ 祝35周年！　シルバニアファミリーにみる、世代や国境を越えて愛され続けるブランドづくり　https://bake-jp.com/magazine/post/13468/

＊３ この記事が出てすぐのこと、「ショコラウサギファミリー」がリニューアル（２０２２年７月）。「ショコラウサギのお母さん」からエプロンがなくなった。

# 結婚願望がゼロになるまで

笛美

その最大の理由は
「ちゃんとした人」に
見られたかったから
（特に職場の男性陣から）
いい青年
じゃないか
さすが
笛美さん

でも結婚生活への憧れはなく
恐怖ですらあった
ヨメが
うるさくてさー
この前
女子大生とコンパ
して…
既婚 →
← 既婚
私もあんなふうに
言われるのかな

しかし結婚適齢期のうちに
だれかを好きになり
その人にプロポーズさせるほど
私は器用ではなかった

すごーい♡
さすが♡

努力が実らない婚活地獄
自尊心は地に落ちた

でも家父長制を知った
今なら分かる

結婚は女性を
男性の支配下に置く
ためのシステムだ

結婚を通して国家は
女性に家庭を管理させ
男性を企業戦士にした

そして
社会福祉を家庭内で
解決させようとした

日本は同性カップルの
法律婚を認めていない

結婚という「幸せ」が
人を差別する道具になっている

私が結婚に求めていたのは
家父長制からの承認だった
ようにいまでは思う

自分の人生を捧げてもいい、
そんな相手と巡り会えたら
結婚してもいいとも思った

でも愛のために
負わされるリスクを
どうしても
理不尽に感じてしまう

今の結婚制度の中で
対等な夫婦になれる人も
いるだろう

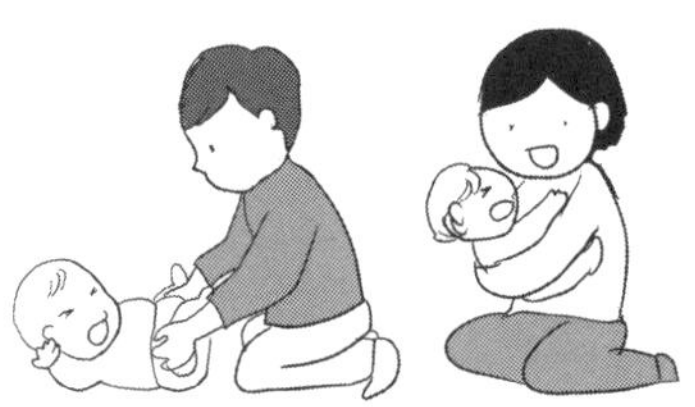

それは奇跡だと思う

老後に穏やかな幸せが
訪れるのかもしれない

そういう夫婦には正直憧れる

でも今この瞬間
私は幸せではないのか？

1人で生きてける収入があり

自分だけの部屋があり

自分だけの時間がある

それもまた奇跡ではないのか

家父長制由来の自虐を捨てたら
幸せなひとり時間がそこにあった

結婚がくれる
名誉も責任もいらない。
自分サイズの幸せでいいや。

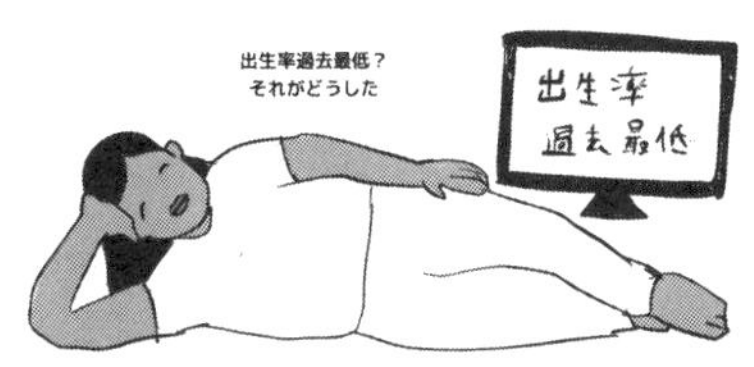


ということで結婚願望がゼロになった
お話でした。

この先好きな人ができても、まあ結婚は
しないと思います。

結婚しないでも幸せに
生きてることが私なりの
家父長制への抵抗です。

ふえみ／会社員・フェミニスト（2023年11月）

# 4 社会・政治

国家のため、経済のため、利権のため、連綿と続く家父長的政策

# 政治家だけじゃない　私たちだって主役であるべき

和田静香

香川県高松市と周辺の島を含む選挙区である「香川1区」で、衆議院議員の小川淳也さんの選挙に密着し、ボランティアをやったことがある。

私はフリーランスのライターだ。音楽や相撲など主にエンタメについて書いてきたものの売れなくて、バイトばかりする日々に生活はいつもギリギリで希望は木っ端みじん、自己責任論に押しつぶされていた。それがコロナ禍でバイトはクビになり、たまたまドキュメンタリー映画『なぜ君は総理大臣になれないのか』がらみでインタビューをした小川さんに、「一緒に本を作ってください」と無鉄砲なお願いをし、『時給はいつも最低賃金、これって私のせいですか？　国会議員に聞いてみた。』（左右社）という本を作った。

その本では自分の「生きづらさ」からエネルギー問題まで話し合い、これって私のせいじゃなくて政治の責任が大きく、解決するには私たち市民の政治参加が大事だと知った。それで、じゃ、実践してみよう！　と選挙活動をやったのだ。

やって気づいたのは、ちゃんと見張ってなきゃ、「民主主義」がダメになっちゃうんじゃね？　声出して行こう、エイエイオー！　という勇ましい気持ち。

それについては『選挙活動、ビラ配りからやってみた。「香川1区」密着日記』（左右社）という本にあれこれ書いたが、反響が大きかったのは、小川さんが家族に「妻です」「娘です」という匿名のタスキを付けさせているのはおかしいと、私が指摘したエピソードだった。意外だった。結果的にはタスキに名前（苗字は公選法で候補者本人以外は入れられないらしい）を入れることになってヨカッタね！　と思ってたのに、「余計なことを言うな」という批判が多数寄せられたのだ。

「でもさ、女性はケア労働に専従させられ、社会に出られず、名前のない存在として長く抑圧されてきたよね。なのに日本では選択的夫婦別姓も為されず、苗字も取り上げられてしまう場合が多い。名前を奪う罪を国会議員なら自覚すべきでしょう？」

批判される度、そう反論した。女性の名前を奪わない。あたりまえのことができなければ、非正規雇用が女性は男性の倍とか、給与も男性の半分など、女性の生きづらさはなくならないと言いたかった。選挙からみんなでジェンダー平等を学ぼうよ！　と鼻息を荒くした。

そして、民主主義は一日にしてならず。私は少しずつ大切なことに気づく。選挙や政治で、何も政治家（候補者）だけが主役ではない、ということ。私たちは一人ひとり、みなが主権者で、同じ重さの一票を公平に持ち、ビラ配りする私たちこそ主役であり、名前を持つべき存在だ。そう確信できたのは、さらに二つの活動をやったことからだ。

一つめは2022年の杉並区長選挙。現・区長の岸本聡子さんの応援で「ひとり街宣」をやった。これは杉並区内の全ての駅前で、岸本さんのポスターを持って、一人で立つ活動。岸本さんの顔をどうやって広めるか？　市民団体の人たちが考えて始め、私も「はい！」と立候補して駅頭に立った。

当日、「今からひとり街宣します」とツイートすると、それを見た女性たち6人が「私もやりたい」と集まってくれたが、ほとんど初対面の人たちで、内一人は#KuTooの石川優実さんだった。交代で「岸本さとこです〜」って言いながら、ポスターを掲げた。

日ごろの選挙の街宣では、政治家や誰かエライ人？　がマイクを握り、私たちは周りでビラ配りをするばかり。そこにヒエラルキーみたいのを感じてきた。でも、ひとり街宣ではそれぞれが主権者として自覚し、民主主義の担い手として堂々と存在感を示せる。一人ひとりが主役で、楽しい。終わった後、初対面の私たちはカレーを食べた。

二つめは、安倍晋三元首相の国葬が決まったとき。勝手に決められたことに怒って何かしたいと思った。するとSNSで、市民団体が「シール・アンケート」をやっているのをSNSで見た。国葬に賛成か？　反対か？　シールで示してもらう。これだ！

市民運動を自分で始めるのは、もちろん初めて。画用紙を買って来て準備をしていたら、友達もやりたい！　と言ってくれ、結局7人で近所の駅前に集まった。賛成か反対か、自分たちの意思は示さず、フラットにやった。結果、反対が賛成を圧倒的にうわまわり、それをツイッターなどで「意思」として表明、可視化することができた。

正直に言えば、こういうことをやって責任を負うことが私は怖かった。だいたい、めんどうだし。だから、自分から始めるなんてあり得なかった。でも、やってみたら責任を負うことは意外と楽しい。以前、政治学者の宇野重規さんと対談をしたとき、民主主義とは「参加と責任のシステム」だと教わった。責任を必要以上に重く受け止めず、気軽にやれば、「責任を持つことは嬉しいという感覚が生まれるはず」だとも教わったが、そのとおりだった。参加と責任は楽しい。民主主義をコツコツ築いていこう。

政治に参加すること、民主主義を築くことは一人でも始められ、私が主役で、楽しい。政治に誰もが気軽に参加する社会は、「これってわたしのせい」な自己責任に捉われず、政治が責任を果たす、健全で、安心するものになっていると思う。

わだ・しずか／ライター（2022年11月、2024年4月加筆）

# その家父長制は誰のため？
## ——マジョリティ男性に必要な学びとレジスタンス

清田隆之

### 家父長制を感じた2つのエピソード

家父長制とはなんだろうか。男系で家を継いでいく古臭い風習、保守派の議員が大好きなイデオロギー、男性優位な社会構造を支える諸悪の根源……。個人的にはそんな意味合いで捉えているが、手元にある資料に当たってみると、辞書には「家長が、家長権に基づいて家族員を支配し、服従させる家族形態」（スーパー大辞林）とあり、ネット上の子ども向けサイトには「一家の長である家長（男）が、家族の人たちに対して、絶対的な支配権をもつ家族制度。第二次世界大戦までの日本の民法の『家』の規定には、この制度を守ろうとする傾向が強かった」（学研キッズネット）とある。

さらに検索してみると、より詳しい解説があった。「『家』制度なくなったのに… 嫁、主人、家父長制、結婚後の現実」（朝日新聞デジタル／2021年9月12日配信）と題したその記事には、法学者・二宮周平さんのインタビューが掲載されていて、そこでこのような説明がなされていた。1898年に制定された明治民法には戸主と家族の関係を天皇と国民の関係になぞらえた「家制度」が定められていて、そのもとで家父長制的な意識が浸透していった。そこでは妻は「無能力者」と見なされ、働くためには夫の許可が必要で、家の財産も夫が管理していた。こうした制度は戦後の民法改正で廃止されたものの、慣習としての「家」は根強く残り、高度成長期には性別役割分業が固定化されるなど、対等な夫婦関係は今でも実現されていない——。

そんな家父長制は、確かに現在、目に見える制度としては存在していない。だからその言葉を意識したことすらない人も少なからずいるとは思う。しかし、法律やシステム、常識や風潮、教育や規範意識など、社会のあまねくところに染みこんでいるのが家父長制の恐ろしいところで、そういった土壌の上で私たちは日々を暮らしている。つまりこれは、この社会で生きる誰もが無関係ではいられないものであり、とりわけマジョリティたる〝一般男性〟にとっては、それに対する無知や無自覚が様々な問題を引き起こしてしまう……そのようなものではないかと私は考えている。

そのことを痛感した、２つのエピソードがある。ひとつは私が回答者を務めている朝日新聞ｂｅ「悩みのるつぼ」に投稿されたもの（２０２４年5月11日掲載）で、それは「夫とゆっくり過ごせず悲しい」という30代女性のお悩みだった。彼女は夫のことが大好きで、結婚後も夫婦２人で過ごしたいと望んだが、夫から「子どもを作ろうとしないなら離婚も考える」と言われ、妊活の末に一児をもうけた。平日はパートで働きながらワンオペ育児。夫は大企業勤務で、休日は家事も育児も積極的にするが、毎日残業も多く、出産直前に育休が取れなくなったこともあったという。子どもはもちろんかわいい。でも、仕事と育児で時間的にも体力的にも限界を感じている。夫には転職して欲しいと相談したが取り合ってもらえない。このままでは結婚の目的であった夫婦でゆっくり過ごす時間など望めそうにない。八方塞がりな状況の中、気持ちをどう整理していいかわからないというのが彼女の悩みだった。

もうひとつは、女性誌『ＶＥＲＹ』で3組の夫婦対談を取材させてもらった際に聞いた夫たちの発言だ。その企画では「タイムマネジメント」が大きなテーマになっていて、夫婦で協力して家庭を運営していくため、互いにどう時間を捻出していくかが話題の中心だった。それぞれ別個に行った対談で、3組とも働き方や家事育児の役割分担など状況は異なっていたが、いずれも家事育児の負担が妻側に大きく偏っており、そのことに妻が不満を抱いているという点で共通していた。夫たちはそこに後ろめたさを感じていたが、一方で「俺は俺で頑張っている」という意識もにじんでいた。聞けば夫たちは、朝のゴミ出しや保育園の送り、休日のお出かけや寝かし付けなど、確かにできる限り家事育児をやっている様子だった。それでもなおコミットが足りない、もう少し家事育児に時間を取って欲しいというのが妻側の訴えだったが、衝撃的だったのは、それに対する夫たちの返答が驚くほど似ていたことだ。いわく、今のままでいいとはもちろん思っていない、自分もなんとかしたいと考えている、でも会社の事情もあってこれ以上は難しい、もし抜本的な対策をするとしたら異動か転職という選択肢になる、でもそうなると確実に給料は減るけど大丈夫かな——というのが彼らの言い分だった。

## 男性たちが巧妙に利益を得ていく構造

お悩み相談の中の夫も、対談に参加してくれた夫たちも、現状の中で精一杯やっているのは確かだと思う。投稿された相談文には「夫は優しく、愛情も感じています」とあり、妻に「給料は減るけど大丈夫かな？」と問うた夫たちも、決して脅すような言い方ではなく、悩んだ末の返答という感じが伝わってきた。でも、だからといって「仕方ない」で済ませられる問題ではない。それだと結局は現状が維持されていくだけで、妻側の悩みや不満は解消されないからだ。こういった状況の背景に色濃く感じたものこそ家父長制の問題で、私は悩み相談の回答文にこのようなことを書いた。

この問題の背景を考えてみると、大きな要因は夫さんの会社にありますよね。妻子のいる社員の平日をほとんど拘束している状況は、つまり「育児はパートナーにやってもらってね」と言っているに等しい（出産直前に育休が取れなくなる事態などはその極みですよね）。また夫さん自身に関しても、確かに休日は家事や育児を積極的にやっているのだと思いますが、それはあくまで〝家族の時間〟であって、相談者さんが求める〝夫婦の時間〟とは別物のはず。このように、家族をひとつの単位として扱い、発生する問題はその中で、より具体的にはその中にいる女性になんとかしてもらおうとする「家父長制」的なシステム、およびそこに乗っかっている男性の無知や無自覚こそ、今回のお悩みの発生源だと思えてなりません。

上野千鶴子さんの著書『家父長制と資本制――マルクス主義フェミニズムの地平』(岩波書店)には、ここで言う「家族の中で発生する問題を女性になんとかしてもらおうとするシステム」の実態が解説されている。この本では家父長制における性差別の構造を読み解く鍵として「市場と家族」の関係が繰り返し語られていくが、ここで言う「市場」とは、会社のような生産や労働の場を指す。そこでは労働力たる〝ヒト〟が必要になってくるが、それは無尽蔵に供給されるものではない。当たり前だが働けばエネルギーが枯渇するし、ときには怪我をしたり病気になったりもする。ゆえにケアや再生産が必要になってくるが、この本によれば、それらを担わされているのが「家族」という領域だ。ここは市場の外部に位置づけられていて、そこで行われるケアなどの営みは〝仕事(=賃労働)〟と見なされず、対価は支払われない。さらに、市場でヒトとして想定されているのは主に健康な成人男性のみで、子どもたちはその予備軍として育てられ、働けなくなった者はそこから排除される。

そのように、現役の働き手のケア、次世代の労働力の育成、働けなくなった者の受け皿など、何重にも家族に依存することで成り立っているのが市場の実態であるにもかかわらず、家族――つまり女性に担ってもらっている諸々はブラックボックス化されている。こうして男性たちが巧妙に利益や恩恵を得ていく構造こそが家父長制の正体だとするならば、先ほど紹介したエピソードがよりグロテスクに見えてくる。

なぜ妻にワンオペ育児を任せてしまえるのか。「出産直前に育休が取れなくなる」なんて事態が発生し得るのはどうしてなのか。もっと家事育児にコミットして欲しいと訴える妻に対し、「給料は減るけど大丈夫？」と言えてしまうのはなぜなのか……。男性たちに「利益を得ている」という意識はないかもしれない。でも背景には、男女の賃金格差や男性優位に作られた会社の仕組みが確実に存在している。上野さんはこういった仕組みを「家父長制的戦略」と呼んで批判していたが、それはおそらく、マジョリティの男性たちが「仕事だから仕方ない」で済ませようとするすべてのシーンに関係するものなのだ。

## 「家族の絆を壊すな」と言うけれど……

男性を目一杯働かせるために女性にケア役割を押しつけているのが家父長制だとしたら、その上層部で利益を吸い上げているのは政治や経済――より具体的に言えば為政者や経営者となるだろう。試しに政治関連のニュースを眺めてみれば、そこには家父長制的なシステムを維持したい、あるいは強化していきたいという、為政者たちのある種〝異様〟とも思える執念が漂っている。

例えば「選択的夫婦別姓」の問題などはその最たるもので、法務省の法制審議会が選択的夫婦別姓を盛り込んだ民法の改正案を提出したのは1996年のことだ。今年1月には経団連がその導入を政府に要望し、4月に行われたNHK世論調査では賛成派が62％を占めたことも話題になったが、政権与党は「国民の議論が熟していない」「家族の絆が壊れる」「日本の伝統が失われる」「両親の名字が違うと子どもがかわいそう」など様々な口実を並べ立てて取り合わず、選択的夫婦別姓は今日に至るまで実現なされていない。また、望まない妊娠を防ぐ「緊急避妊薬（アフターピル）」を入手しやすくしようという動きがなかなか進まないことや、数多くの問題点が指摘されているにもかかわらず衆参両議院で可決されてしまった「共同親権」の問題にも、同様の空気を感じる。結婚で名字を変える人の96％が女性という現状を変えたくないのも、避妊や堕胎にまつわる主導権を女性側に渡そうとしないのも、離婚後に母親が親権を持つケースが9割という状況にメスを入れたいのも、背景に家父長制的な力学が働いているように思えてならないのだ。

彼らはよく「家族の絆を壊すな」と言う。「子どもたちのため」という言葉も印籠のように振りかざす。それは一見〝家長〟としての責任でありプライドのようにも見えるが、おそらくそうではない。彼らは言うほど家族を大切にしていないし、家事育児をほとんどやったことがないであろう彼らは、実のところ、そんなに家族のことも好きではない。じゃあなんのために「家族の絆」を強調しているのかといえば、成人男性を家長とする小さなピラミッドをひとつの単位に、それらが積み重なって会社や社会になり、ひいては国家になる……という構造を維持したいからに他ならない。家族をブラックボックスのままにしておけば、男性は女性からケアを無償で享受し続けられる。そうやって支えられた男性たちを、今度は国や企業が労働力として利用することができる。そういう構造の中で最終的に為政者や経営者が利益を吸い上げていくのが家父長制の実態だとするならば、私たちマジョリティ男性は、はたして今のままぼんやりそこに乗っかったままでいいのだろうか？

構造の問題は巨大にして複雑で、今すぐどうにかできるものではないかもしれない。例えば先のエピソードで紹介した夫たちにしても、仮に家父長制がどんなものかを知り、自分たちの言動にその力学が関与していることがわかったとして、具体的にどうしていけばよいのか。「構造の問題だから仕方ないよね」と開き直るのは論外だとしても、転職すれば解決なのかと言えば、おそらくそうではない。それで理想的な働き方ができるようになるとは限らないし、もし本当に給料が下がってしまった場合、その影響を被るのも当人たちだ。「じゃあどうすればいいんだ!」という気持ちがわき起こるかもしれないが、焦れて極端な結論に走らないようグッとこらえ、身近な関係性の中でできることを頑張りつつ、問題の是正を求めて政治や会社に対しても声を上げていく。そうやって、構造というマクロの視点と、個人というミクロな視点の両方からアプローチしていくというのが、今のところの私なりの考えだ。

## 強固な構造に小さな穴をたくさん空けていく

構造という難敵に抵抗していくためにはまず、謙虚に学びの機会を積み重ねるしかないだろう。近年は家父長制に対する問題提起も盛んで、話題の書がたくさん出版されている。例えば『アダム・スミスの夕食を作ったのは誰か?』(カトリーン・キラス=マルサル著、高橋璃子訳、河出書房新社)はまさにこういった構造を批判的に論じた一冊だったし、『家族と国家は共謀する――サバイバルからレジスタンスへ』（信田さよ子、角川新書）はブラックボックス化された家族という領域で起こる暴力や搾取の景色を描写した一冊だった。また『ケアの倫理とエンパワメント』（小川公代、講談社）はケアという営みの価値や本質を捉え直していくような一冊だったし、『私は男でフェミニストです』（チェ・スンボム著、金みんじょん訳、世界思想社）はこの社会がいかに男性特権に満ちあふれた場所かを浮かび上がらせる一冊だった。

一方の個人の側からはもう、それこそ武田砂鉄さんが著書『マチズモを削り取れ』（集英社文庫）で実践していたように、家父長制の力学が働く具体的なシーンと地道に対峙し、抗い続けていくしかないだろう。男性特権は日常の様々な場面にひょっこり顔を出す。例えば子どもが急に熱を出し、仕事を切り上げて保育園までお迎えに行かねばならなくなったとき、自分が行くのか、妻に行ってもらうのか。結婚して姓を揃えねばならなくなったとき、夫婦どちらが名字を変えるのか。親族の集まりにおいて、女性ばかりがあくせく動き、男性たちは座ってビールを飲んでいるだけという場面に出くわしたとしたら？　親の介護が必要になったとして、自分よりも姉や妹ばかりに負担が偏っていたとしたら？　こういった場面は他にも無数にあるはずで、その中でどう振る舞っていくかが問われている。「仕事だから仕方ない」というエクスキューズはなぜか男性のほうが使いやすいようになっているし、家事や育児や介護なんかも、なぜか男性よりも女性のほうが得意だと思われている。結婚したら名字が変わるかもしれないという想像を、おそらくほとんどの男性はする必要に迫られない。このように、背景にアンフェアな力学が働いている中で、しれっと相手に負担を押しつけたり、いつの間にか義務や責任から免除されていたり、気がついたら楽なポジションに立てていたりするのがマジョリティ男性の現在地だとするならば、はたしてこのままでいいのだろうか？　そのしわ寄せを受けて様々な問題を担わされた女性たちが、誰の手助けも得られない状況の中で疲弊感と絶望感を募らせている現実を、男性たちは視界の外に置いたままで本当に大丈夫なのか？

具体的な対策やバランスに関してはそれぞれが抱える事情の中で見出していくしかないが、例えば急な保育園のお迎え対応ひとつ取っても、当番制にするとか、負担感を可視化するとか、埋め合わせの方法をすり合わせておくとか、コミュニケーションによって不平等感を是正していくことはできるだろうし、例えばそれ以外でも、いざというときに頼れる場所を家族以外に確保しておくとか、日頃から仕事仲間に根回しをしておくとか、上司に掛け合って早退しやすい仕組みを整えてもらうとか、やれることはいろいろあるはず。そうやって制度や風潮にも働きかけることができれば、強固な構造に小さな穴がたくさん空き、みんなが息のしやすい社会に変えていけるのではないか……。

家父長制は日本社会が長い時間をかけて作り上げてきた概念で、望む望まざるにかかわらず、〝一般男性〟がその恩恵を受けてきたのは紛れもない事実だ。無知や無自覚なままではこの構造を維持することに加担し続けるだけだし、ましてやそのために必死に働き、自分の心身や、それこそ家族の絆を壊してしまうことがあるとするならば、そんな馬鹿げたことはないと私は思う。

きよた・たかゆき／文筆業（2024年5月、書き下ろし）

# 安倍晋三という政治家が力を持った時代、女性や家族、性的マイノリティをめぐる政策はどう展開されたのか

山口智美

2022年9月27日、安倍晋三元首相の「国葬」における「追悼の辞」で岸田首相が述べた「国内にあっては、あなたは若い人々を、とりわけ女性を励ましました。」という言葉に唖然とした女性は多いだろう。実際、Twitterでもツッコミが相次いでいた。そして「国葬」が開かれた日本武道館では、男性トイレの前に大行列ができていたという。安倍晋三が推進してきた「女性の活躍」政策は、実際のところ男性ばかりが集う状況を生み出していたわけだ。「女性の活躍」政策がいかに矛盾に満ちた空虚なものだったかというのを端的に「国葬」は表していた。

安倍晋三は、男女共同参画や性教育などへのバックラッシュ（反動）を引っ張った主

要人物だった。安倍は１９９３年に国会議員として初当選したが、その頃から日本の右派は日本軍「慰安婦」問題など日本の戦争責任の否定と、選択的夫婦別姓反対をはじめとした「家族」をめぐる問題に集中的に取り組んでおり、安倍もそうした動きに若手議員として加わった。例えば日本会議の機関誌『日本の息吹』の２０２２年９・10月合併号は安倍氏を追悼する特集号だったが、そこで安倍の家族政策における唯一の「成果」として挙げられていたのは、「選択的夫婦別姓の牽制・阻止」だった。安倍も、支持層である日本会議にとっても別姓の阻止というのは大きな意味を持っていたことが窺える。

１９９９年の男女共同参画社会基本法の成立や、全国の自治体の男女共同参画条例制定などの動きへの「反動」（バックラッシュ）として、２０００年代初めから男女共同参画や性教育攻撃が激しくなり、安倍も主要な役割を果たした。２００５年に、当時自民党の幹事長代理だった安倍は自民党「過激な性教育・ジェンダーフリー教育実態調査プロジェクトチーム（自民党ＰＴ）」の座長として、事務局長だった山谷えり子参議院議員とともに性教育やジェンダー平等バッシングを先導した。同ＰＴが開催したシンポジウムで安倍は「過激性教育」が「ポル・ポトを連想する」、「男女共同参画社会基本法そのものについて検討していきたい」などと発言している。男女共同参画社会基本法は、全会一致で可決されたにもかかわらずだ。

このような安倍ら右派の国会議員による男女共同参画や性教育へのバックラッシュと連動していたのが、日本会議系の宗教団体や旧統一教会などの「宗教右派」勢力だった。特に早くからバックラッシュをリードしたのが、分裂前の生長の家の政治運動（現在の「生長の家」とは一線を画した、より原理主義的で政治にも積極的に関わる勢力）に源流を持つ右派シンクタンクの「日本政策研究センター」や、山口県に本部を持つ「新生佛教教団」と関連するオピニオン紙の『日本時事評論』だった。

そのうち地方での条例批判に積極的に関わったのが『日本時事評論』である。2002年、山口県宇部市の「男女共同参画推進条例」に「男らしさ、女らしさを一方的に否定することなく」などの、男女共同参画の方向性と異なる文言が書き込まれた条例制定の動きに中心的に関わった。他の自治体においても男女共同参画条例の中身を保守的に変えるという動きのみならず、行政や外郭団体によるパンフレットの批判や、施策、講座批判などさまざまな動きに関わり、『日本時事評論』や他の右派メディアを通じて情報も流していった。

少し遅れて2003年ごろから活発に動き始めたのが、旧統一教会（現世界平和統一家庭連合）、および関連する新聞の『世界日報』だ。宮崎県都城市の「男女共同参画社会づくり条例」に「性別又は性的指向にかかわらずすべての人の人権が尊重され」という文言が入ったことについて旧統一教会は危機感を持ち、反対運動に関わった。旧統一教会系の世界日報や国際勝共連合などは多様な性のあり方に関してこだわりを持って批判を展開し、同性婚、性教育や男女共同参画センターの所蔵図書などへの反対運動をリードするようになった。

また、2003年に古賀俊昭（自民党）、土屋たかゆき（民主党）と田代博嗣（自民党）の3人の都議が都立七生養護学校での性教育の実践を「不適切」などと激しく非難し、教員らが処分されるという事態を招いたことは、性教育を大きく後退させた。

宗教右派、国会・地方議員らが連携して行ったバックラッシュが右派メディアで報道されネットでも拡散し、国政の場では自民党PTに帰結したといえる。そして、2005年12月、第二次男女共同参画基本計画では「ジェンダーフリー」を使用しないという文言が書き込まれたが、これに深く関与したのが当時の官房長官だった安倍晋三と、その下の担当政務官だった山谷えり子だった。

バックラッシュの結果、男女共同参画政策や性教育は萎縮し、完全に後ろ向きになった。日本におけるジェンダーやセクシュアリティをめぐる政策がこの20年間、これだけ進まなかった背景には、宗教右派勢力と自民党など保守政治家が結託して行ったバックラッシュが確実にある。「ジェンダー」や「ジェンダーフリー」概念も攻撃の対象だったが、それよりも地域で行われてきた、性教育や男女共同参画施策などの現場へのバッシングの影響が特に大きかったのではないか。

2012年に安倍晋三が再び首相になると、安倍は一見「バックラッシュ」とは程遠いように見える「女性活躍」政策を掲げるようになった。だが、初代の女性活躍担当大臣に登用されたのは、日本会議など宗教右派の支持を受ける有村治子で、この人選からだけでも「女性活躍」の限界を示していた。有村が自ら「私をトイレ大臣と呼んで」と言ったように、有村が旗振り役として力を入れた政策は公共トイレの整備に留まった。

男女共同参画局は「働く女性の活躍を加速する男性リーダーの会」に力をいれ、男性ばかりで女性活躍を語るという不可解さである。さらに外務省も「女性活躍」を打ち出すイベントとして「国際女性会議WAW!」を2014年から開催。海外、国内から政治家や官僚、企業トップらを招待した会議だったが、2017年にはイヴァンカ・トランプを招待するなど、性差別の撤廃という目的はどこへやら、市井の女性が抱える問題ともかけ離れた場となっている。

こうして一見華やかだが、そこはかとなくズレている「女性活躍」が推進される中で、安倍政権の間は選択的夫婦別姓の議論は行われずじまいだった。安倍が首相を辞任して間も無く公表された2020年の第5次男女共同参画基本計画に至っては、選択的夫婦別姓の文言が自民党右派の抵抗により消されてしまった。性教育は進まず、政府や自治体は少子化対策の名のもとで「官製婚活」を推進し、女性に若くして結婚し、産むことばかりを推奨してきた。

また、性的マイノリティをめぐる政策にもバックラッシュが起きている。2015年に渋谷区でパートナーシップ制度が初めて導入されて以来、パートナーシップ制度は各地で導入が進んだが、旧統一教会をはじめとした宗教右派勢力は同性パートナーシップや同性婚の法制化へのバッシングを強めている。2021年、超党派で取り組んできたLGBT理解増進法案も、自民党内右派の反対により国会に提出されなかった。そして2022年6月、神道政治連盟の会合で自民党議員らにLGBTへの差別冊子が配布され、それに対して批判が殺到し、抗議署名も提出されたが、自民党も神道政治連盟からも返事はないままだ。そして旧統一教会系の媒体『世界日報』や八木秀次らの右派の論者、さらに山谷えり子議員など、右派により盛んにトランスジェンダー差別の発信が繰り返されるようになっている。

2015年、国連総会でSDGsが採択されると、日本政府や自治体、企業などがSDGsを推進するようになったが、目標の一つであるはずの「ジェンダー平等」への注目度は低いままだ。そもそもジェンダー平等に反対し続けてきた神社本庁がSDGsを推進していると言っていたり、旧統一教会の関連団体がSDGsを掲げたりしている中、現在のSDGsの枠内でジェンダー平等が進むとは思えない。

「女性活躍」や「SDGs」がすすめられる裏で、宗教右派と右派政治家が結託してバックラッシュは続いており、特に地方政治や私たちの暮らしが侵食されている。安倍晋三という政治家が力を持った時代に、女性や家族、性的マイノリティをめぐる政策がどう展開し、誰のどのような影響があったのか、まずは私たちがもっと知る必要がある。そこからどう現状を変えていかれるのか、今こそ考えて、行動していきたい。

やまぐち・ともみ／文化人類学者（2022年11月）

# 5 セックス

## マイボディ・マイチョイス、当然の権利を阻むものに抗う

# びわこんどーむくんがゆく。

清水美春

「滋賀発！全国1万人の高校生に『びわこんどーむ』[*1]を届ける学校プロジェクト」[*2]が2年目に突入した2022年11月、とある中学校の体育館には約300名の生徒たちが一斉にコンドームを指先から手首にペアで装着し合う光景が広がっていた。

合言葉は〝習うより 触って慣れよう コンドーム〟。咳くしゃみにマスク、勃起射精にコンドーム。講演会も終盤になると、講師から度々口頭で発せられた「コンドーム」の印象は〝過激でエロいアダルトグッズ〟から〝日常の衛生マナー用品〟にすっかり変化している。初めて見る層、触る層はどちらも約9割。ヌルヌルの感触やゴムの匂いに驚きの声が上がり、約3割のペアが裏表を間違えたり、その手で握手をしたり、風船を膨らましたり、破ってみたり。体育館後方では30名程度の保護者も同様のワークに参加している。その最後にはオリジナル教材『びわこんどーむ』（通称『びわこん』）[*3]が配布されて「コンドームを着けなさい」ではなく「使うかどうかはあなた次第」と性的自己決定のバトンを渡して講演は終了する。

この様子を眺めながら、ついにここまで来たか、といつも以上に感慨深かったのは、その対象が高校生ではなく初の中学生だったからである。滋賀県立高校の教員だった私が2015年に地元の高校で始めたこのコンドーム指装着ペアワークが、このプロジェクトによって全国70校の高校、11校の中学校に広がった。中学校での実施は、最初こそ大きな挑戦に思えたが、いざやってみると生徒たちは学習することが当たり前のことだと認識し、こちらの想像以上に効率的で効果的で好評だった。無関心層にも届けられる学校で、しかも義務教育で展開されたことの意義は大きい。

この変遷の原動力となったマスコットの『びわこん』は、得体の知れないカワイイ見た目で「なんだこれは!?」と見る人々の興味を惹きつけ、〈性教育〉という看板からは決して生まれなかったワクワク感や躍動感を生み出した。『びわこん』の行く先々ではコロナ禍は講演を中止する理由にはならず、〝密〟なペアワークを実現させるために各校でありとあらゆる感染予防対策がとられた。その結果、生徒たちの感染拡大への理解はより深まり、マスク顔でお互いに意思疎通をはかる難しさや、他者に触れることで得る情報の複雑さを体感する貴重な機会になった。

公的な場に登場する『びわこん』が中高生に与えるインパクトは大きい。それ以上に『びわこん』配付を決めた先生たちのノリや想いが伝播することで学校全体に心理的安全性がもたらされたことが大きかった。『びわこん』で生まれる雑談がその後に性の相談に繋がった事例も多数ある。

生徒の感想には「学校で配られるほど大事なものだと分かった」「小学生から必要」「女の私も参加できてよかった」「自主性を信じてくれてすごく嬉しかった」など、コンドームの着け方よりも大切なことを受け取った様子が伝わってくる。

だれもが幸せな人生を送るための選択肢が増える性教育の機会や、性について安心して語り合える機会は、そういった機会を与えられてこなかった当事者である私たち大人だからこそ作り出せる。そしてその機会は、家庭でも学校でも地域でも、人生で何度も何度もあった方がいい。

このプロジェクトのおかげで、性教育が必要だと思っている賛同者の存在と学校現場での具体的な実践事例を社会に向けて可視化することができた。日本でもケニアでも変わらない感覚で、これからも本質を見失うことなく、自分が必要だと思うことに、自分の時間を費やしていきたいと思う。

「次の世代の子どもたちに、今度は私が伝えていきたい」と書かれた中学一年生の言葉に励まされた、私がゆく。

しみず・みはる／BIWACON.com運営（２０２３年11月）

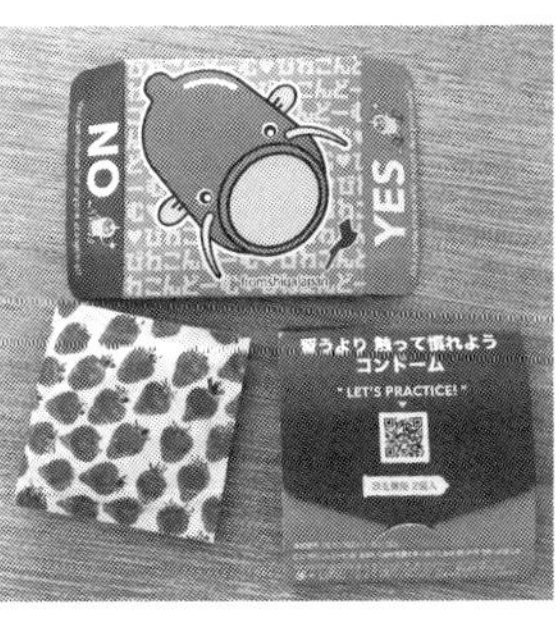


＊1　日本一広い琵琶湖に生息するビワコオオナマズとコンドームが合体したオリジナルキャラクター。琵琶湖を愛する県民にも親しまれている。

＊2　２０２１年クラウドファンディングで集まった１８６万円の寄付金で製作した1万個のコンドーム教材を全国の中高生に届ける取り組み。全国延べ81校１０，９５７名（中1～高3）に届けて２０２３年7月達成した。

＊3　性の知識がぎっしり印字されたパッケージに自主練習用のコンドームが2個入っている。

# セックスワーク・イズ・ワークを拒むもの

戸田真琴

セックスワークはすでに存在する職業で、今日この日、今この瞬間も、性産業に従事している多くの事業者がいる、という変えようのない事実によって、彼女ら彼らがより安全に適正に働けるようになるための整備は当然に必要なものである。それを拒むことのできる正当な理由などは存在しない。というのが私の個人的でごくシンプルな思想である。

セックスワークに従事することによって当人たちに降りかかる健康的・精神的な被害や向けられる偏見、構造的差別によって被るデメリットは枚挙に暇がないが、それらのデメリットを可能な限りなくしていくことができるのだとしたら、セックスワーク自体はただのサービス業だと捉えることが可能である。セックスワーカーたちが販売しているのはあくまでサービスであり、技術である。しかし、本来「性的サービスを販売している」であるはずの業務内容が、「心と身体を売っている」という漠然とした身売りのような物語性に組み込まれすり替わっているのは、その物語性を妄想や偏見に置き換え興奮のために利用するあらゆるポジティブなユーザーたちと、否定することで嫌悪し溜飲を下げるネガティブな非当事者たち、そしてそれらの偏見の解体をおざなりにしてきたすべての人々による害である。これを本来の業務内容に戻すことが、セックスワーク・イズ・ワークを唱える最も大きな意味だと筆者は考えている。

この何の変哲もない正論を一度置いてここから、実際にセックスワークを労働であると認めることを拒むものたちの正体、そして、業務内容がすり替わってしまう要因について紐解いていきたい。

## 自由意志としてのセックスワークを成立させるには

以前、『La Maison 小説家と娼婦』という映画のパンフレット寄稿文の中で、娼婦が「望んでセックスワークに従事している」という状態を実現可能にするためには厳密にはどのような前提が必要なのか、という考察をした。

そこでは、①自己決定の権利（他の選択肢があるか）②安全と健康を守る権利（性病対策・暴力を受けにくい環境・ルールの整備がされているか）③尊厳を守る権利（差別されない・搾取されない仕組みがあるか）という、簡単に分けて三段階の権利が保証されることが必須と考えた。理想論ではあるが、理想を論じないことには向かうべき方角もわからないのが常だろう。

①はセックスワークにつく以前の段階で行政が対応するべきこととして（コロナ禍の給付金不適用が記憶に新しい。セックスワーカーは福祉から取りこぼされた結果セックスワークに就かざるを得なくなり、セックスワーカーであることよってさらに福祉から取りこぼされる、という負の螺旋を生きる人も少なくない）、②と③を守るためにはセックスワークを労働と認めたうえでの適正なルール整備が必要である。それらの推進が、③の権利を侵しているものたち――セックスワーカー以外の人々による差別心によって拒まれ、立ち行かなくなることがある。或いは、「市民の理解が得られない」という常套句によって当事者たちや実際の市民の声に耳を傾けることもなく透明化される。しばしば、公序良俗に反するという漠然とした基準による判断が壁となる。この構造を差別

と呼ぶのは当然のことだが、多くの差別問題と同じく、差別者側は、自らの抱く嫌悪感の解析すら放棄している人がほとんどであるのが現状だろう。

## AVに対する偏見と矛盾

セックスワーカーへの偏見を可視化させるものの一つとして、アダルトビデオについての世間の語り口があげられる。筆者がアダルトビデオの出演者として7年近く働いていた中で感じたことは、業界外から向けられる「過酷な仕事」「心と身体を売っている」といったセンセーショナルな印象の強固さと、実際の労働との温度差であった。パッケージの内側には、技術とノウハウの継承、そして反復と地道な努力の上に成り立つ現場の労働が存在している。ここで売りに出す「心」というのは純情や情熱ではなく誠意や真面目さであり、ここで売りに出す「身体」はありのままの肉体を預けることではなく魅力的に撮影されるためのポージングや見目の美しさであって、あくまで撮影現場で出演者が売っているのは、具体性を持った表現なのだ。

また、物理的にも安全や健康に気を使われる業界で、あんなに清潔さを意識した労働環境も珍しいだろうと考えている。もちろん状況は人によって異なり、運や環境、筆者自身が現場のオペレーションに口を出すスタンスを取っていたことによる快適さは確実にあったものの、性病はおろか風邪の一つも移されることなく働いていた。なんて楽な仕事なんだろう、と思う日のほうが、過酷さや痛みを感じる日よりも明らかに多かった（繰り返しになるが筆者が経験したのは一部の環境であり、これは過酷さを訴える経験者の言葉を遮る目的のものではない）。

しかしこれは実際の労働時間に対する感想で、この仕事が高収入でなければならない本当の理由は遅れて訪れる。収録した作品が2，3ヶ月の時を経て発売され、それをユーザーが鑑賞したあとの反応によって、精神を蹂躙されるように感じることが決して少なくないのだ。それは性的なコンテンツになるとたんにリアルとフィクションの境目を意識することを拒む層の多さと、そのユーザー心理に抗わず多くの利益を生むことを優先する作り手サイドの怠惰と強欲によってエスカレートさせられ、精神的なエネルギーをすり減らされてしまう演者もあとをたたない。売上至上主義的価値観と、性を巡る遅効性の痛みは、そもそも相性が悪いのだ。その板挟みで犠牲になるのはいつも演者である。

これが、筆者がアダルトビデオ業界に身をおいて覚えた絶望の質感である。これを少しでも希釈するために、出演者の尊厳を傷つける可能性のある内容の作品について慎重に取り扱うことや、作品がすべてフィクションであることの啓蒙、出演者のプライバシー保護やメンタルケア体制の確立など、適切な努力をするのが業界の義務だと考えているが、先に述べた通り制作・販売側にできる努力は限られている。やはりその業界外の人々、ユーザー、そしてさらにその外側で影響を受けているあらゆる人々の意識が変わらないことには根本的な改善は成り立たない。

## 「穢れ」は本当にあるのか

性風俗店で働く人々も、日に何度もシャワーを浴び、頻繁に性病検査を受ける。彼女ら彼らに対し、実際の清潔さと全く関係のない部分で観念的な「穢れ」のレッテルを貼っていることに、自覚的でない人はまだまだいる。

また、見えづらい差別として、女神化やキャラクター化の被害に合いやすいこともセックスワーカーの働きづらさのうちの一つだろう。人々は、娼婦や男娼に対しファンタジーを抱く。他者を性的に誘惑する術に長けた魅惑的なセックスシンボルとしての幻想、あるいはやむを得ない事情を抱え〝心と身体を売る〟悲劇の登場人物として、外野は思い思いにファンタジーを付与して興奮材料にする。侮蔑や蔑みも興奮の一種なのだから、これは性産業の利用者に限らない。ここには、「(性を売っている人たちと)同じカテゴリに分類されたくない、だが底しれない引力を感じていて彼女ら彼らについて語らずにはいられない」という、矛盾した欲望が見て取れる。その欲望は、当事者たちを無断で被害者にし、加害者にし、物語の登場人物にし、酒の肴にし、嘲笑の対象にし、ロマンを抱き、罵倒し、囃し立て、突き落とす。

そういったすべての差別心と好奇心から解き放たれるときがきてようやく、性産業は「ただの仕事」になることができるのだ。しかし、舗装されていない道を我を信じて歩める者があまりに限られているように、誰もがその「ただの仕事」性に気づく日を待っている間にあらゆる損や危険が当事者たちを追い詰めていくだろう。完全なる適正な労働環境など、どういった職種でも現状完全には実現されていないように、性産業においても、常に今よりも明日、少しでも適正に近づくよう現場の調査と処遇の改善、そのためのルール運用、そしてそのさらなる更新を繰り返すほかない。

## 女性を巡る複合的な偏見

ここからは、性産業の存在によって特に人生に影響を及ぼされやすい――キャストとしての勧誘を至る所で受け、従事していなくともその産業の中で作られた偏見に晒され、個人的な性的やり取りにおいても影響に晒される、もっとも逃げ場がないとされる女性たちについて、そして「性を売りにすること」を巡る複合的な偏見について論じていく。偏見とは、分からなさに対する恐れである。女性と性産業を巡る偏見について、解き明かすことを拒む者たちはなにを恐れているのか。

そこにはシンプルな畏怖があるのだと筆者は考える。家父長制の根強いこの国では女性は家長の所有物として価値を図られ、その価値を落す行為を暗に禁じられてきた。それを破ると社会的に詰(なじ)られるという罰が待っている。女たちは自分が無価値とされ家父長に追い出されることを恐れ（経済能力を持たないようコントロールされて来たため、家父長にとっての価値を担保することが食い扶持と安全に直結している女性はあまりに多い）、また、家父長の興味を横取りされる恐怖のあまり、従順でない女性たちのことを憎まされる。

家父長やポスト家父長として育成される息子たちもまた、自らを誘惑されることを恐れながら期待し、騙される可能性に怯える。そもそも畏怖によってセックスワーカーに偏見を抱く人々は、性的魅力によって女性が得をする（ように見える）という現象自体に嫌悪を抱いている。しかしセックスワーカーの中には、性的魅力を他者から一方的に見出された結果トラブルに見舞われてきた者や、性被害に合ったトラウマを希釈するために始めた者も少なくない。得をしている、という部分だけを取り沙汰されること、それ自体が差別心による認知の歪みを可視化している。また、そういった事情をほとんど持たずにただ効率よく金銭を稼ぐ手段として始める者も無数に居る。

それらすべてのあらゆる理由は、他者からの偏見に吸収されてはならない。その塗りつぶせなさ、救いづらさを感じ取り（或いは、救われる必要のない人たちも居ることを認め）個人の事情を集めていくこと。尊重しながら、もしも今よりもより良い状態を望むのであれば、その方角に向かっていけるよう支援する。現状がどの段階であっても、人の尊厳がより守られる世界へ向かって、進むべき方角は変わりないはずだ。

複雑性を受け入れることを前提として、性産業を巡る諸問題に対する改善の手を止めない世界であることを願っている。そして、そのためのアクティビズムはセックスワーカー当事者たちではなく、性産業の利用者たちこそが中心となってすべきである、とも筆者は考えている。

「性的サービスの販売」が「心と身体の切り売り」にすり替わっている現状はすぐには変わらない。本来のサイズ感を越え、邪悪なものを含んで膨れ上がったセックスワークを巡る〈業〉は、セックスワーカーたちに偏って背負わされている。しかし、本来それを背負わなければならないのは、他でもない、性産業を利用し愉しんできた利用者たちなのではないだろうか。性産業によって益を得てきた者たち、そしてこれからも産業が続いてほしいと願う者たちこそが、利用してきた責任を負うべきなのだ。大きなリスクをなるべく小さく、向けられる偏見の解体を試み、何よりも利用者たちが産業の持続性について真剣に議論し行動を起こしていくことが、これからの性産業のためにできる次のステップなのかもしれない。

とだ・まこと／文筆家・元ＡＶ女優（２０２４年5月、書き下ろし）

# 6 クィア

性愛規範とジェンダー規範を問い直し、解放されるために

# 点が線になるまで、線が面になるまで

和田拓海

２０２３年から岐阜市で「本屋メガホン」という新刊書店を始めた。セクシャルマイノリティや障害者、日本に住む外国籍の人、フェミニズムに関する本など社会的マイノリティについて書かれた本をメインに取り扱い、本屋がメガホンとなって、いないことにされてきた人たちの「小さな声を大きく届ける」ことをコンセプトとしている。東京には、フェミニズム専門書店「エトセトラブックス　ＢＯＯＫＳＨＯＰ」や、アジア各地のクィアなＺＩＮＥを取り扱う「loneliness books」があるが、地方でそういったテーマの本を専門にした本屋はまだ少ない。岐阜で小さいながらも自力で本屋を始めてみて、地方にこそこういう場所が必要だということを日々実感している。特に問題意識として感じている、都市と地方の情報格差について今回は考えてみたい。

例えば、雑誌『ＩＷＡＫＡＮ』(Creative Studio REING)を岐阜県で取り扱ったのは当店が初めてで、つまりこれまではその本を手にとって購入するには、わざわざ名古屋まで行く必要があったということになる。ネットで買えば事足りるとはいえ、ジェンダーやセクシャリティに関する情報にオフラインで気軽にアクセスできないことは、地方で暮らすクィアにとっては（全く誇張ではなく）死活問題だと思う。もはや安全とはいえないＳＮＳにおいて、自分が本当に必要としている情報に辿り着くことは難しくなってきているし、スマホを置いて外に出てみても、街に数軒しかないチェーン書店にヘイト本が積まれていることだってあるはずだ。そもそも、自分が何を必要としているのか分かっていれば話は早いが、マイノリティとして生きる上で背負わされる違和感や痛みは、様々な要因が複雑に折り重なっていて、それをときほぐして言語化する事は本人にとっても難しい。僕が本屋を始めようと思ったきっかけは、ある日なんとなく入った本屋で買った本に、自分がこれまでゲイとして生きる中で感じてきた違和感や、その時ちょうどモヤモヤしていたことが、圧倒的な解像度をもって言語化されていたからだ。自分のことについて書いてある、と初めて素直に思えた。情報のインフラがある程度整った名古屋から、そうとは言えない岐阜に引っ越してきて、都市と地方ではそういう機会に圧倒的な差があることを実感した。

自分にできそうなことが本屋だったというだけで、別にライブハウスでも漫画喫茶でも映画館でも何でもよくて、とにかく、マイノリティがいないことにされなくて、自分のことについて書いてあると思える何かに出会える場所の総数を増やしたいと思って本屋を始めた。僕たちはあまりにも選択肢を奪われ過ぎていないか。結婚はできないし、恋人と一緒に住むための部屋を友達として借りないといけないし、異性の恋人の有無を常に問われ続ける。一人でいれば半人前とされ、誰かといれば既定の関係性を無理やり押し付けられる。本屋メガホンは、ある意味これまで奪われてきた選択肢を可視化して提示するための取り組みであるとも言えるかもしれない。

なんでもオンラインで完結できる時代で、紙の本の手触りがどうとか、温もりがなんたらとかいう生温いことを話したいわけではない。自分が感じている違和感がどういう構造から生じているのか俯瞰して考えるための場所として、小さな声しか出せない状況にある個人の体験や考えをすくい上げて共有するための場所として、本屋をひらくことは一つの抵抗の手段として有効だと思う。僕は本屋メガホンのようなコンセプトの場所が全国各地に林立するべきだと考えていて、本稿を読んで自分にも何かできることがあるかもしれないと思った方は、自分が持っている力を過小評価せず、思う存分振るって欲しい。点が線になるまで、線が面になるまで、共に抵抗を続けよう。

わだ・たくみ／本屋メガホン（２０２３年11月）

# ひとりで生きたい

とりうみ

わたしはセックスもロマンスも、誰かと何かしらの形でパートナーシップを結ぶことも望んでいないアロマンティック・アセクシャルなのだが、日常生活を送る中で自分に何かが「ない」といった感覚は一切ない。しかし、恋愛やセックスをすることが標準化された社会のため、自分のセクシュアリティを説明する場合には、やはりどんな対象にも恋愛やセックスの欲望を抱くことが「ない」と説明するほかない。

「ない」ばかりが並んでしまっているが、自分のセクシュアリティを個人的な肌感覚で表現してみるとすれば、「ひとりで生きる」がしっくりくる。さらに、自分は友人関係をはじめ第三の居場所的なコミュニティへの帰属意識も薄いため、人一倍この感覚が強いと思う（この辺りはAスペクトラムのステレオタイプなのであまり大きな声で言えないのだが）。

Covid-19のパンデミックの中で、公のメッセージとして「ステイ・ホーム」や「助け合おう」といった内容が発されるにつれ、友人同士であれ近しい人間関係に依拠した社会福祉の欠陥を恨むと同時にそこから見放された気がした。私の中の「ひとりで生きる」という感覚は「一人暮らし」というだけでなく、もっと根本的に人間が個人単位で生活できる社会への強い希求でもある。

学部生の頃、おそらく20歳になったばかりのときにジェンダーやセクシュアリティに関する入門的な講義を受けていた。戸籍制度を取り扱った回では日本ＹＷＣＡで活動しているゲストスピーカーを呼んで、戸籍制度そのものによって日本社会で特に女性やクィアが、いかに一人で生きることを困難にさせられているかが語られた。人間を血縁・婚姻単位で人間を登録して「家」によって管理するという、個人としての存在を徹底的に無視した自分の置かれている制度にかなりショックを受けた。質疑応答の時間に、少しためらいがあったが、私は思わずゲストスピーカーに「日本に絶望して出て行きたいと思ったことはないのか」と質問した。残念ながら、その場でなんと回答してもらったのかはもう覚えていない。しかし、講義が終わった後に私たちは励ましの言葉を交わしてハグをして、私は少し泣きそうになったことは覚えている(もしかしたら泣いてしまったかもしれない)。

加えて、経済協力開発機構(OECD)のデータでは、2022年時点で日本の男性の所得の平均と女性の平均の差は21・3%であり、韓国とイスラエル、ラトビアについで4番目に大きい。[*1] 厚生労働省の2020年賃金基本統計調査によれば、フルタイムで働く男性を100とすると女性は75・5という数値になる。[*2] 賃金格差だけではなく、女性に多い職種ほど低賃金であり、現在日本で働いている女性の約半数は非正規雇用である。塩沢美代子と島田とみ子による名著『ひとり暮しの戦後史』(岩波新書)には、戦後から続く男性の稼ぎ手を重視する日本社会の雇用の仕組みの問題点が端的に指摘されている。[*3]

女子の賃金は若年短期雇用型もしくは家系補助型として、男子と峻別した扱いを受けている。いいかえれば、ひとりの人間がそれによって生きていくという前提に立っていない。さらに日本のあらゆる制度や慣習が、女性が自立して生きていくことを

計算にいれていない。(p.6)

近年、政府や自治体、企業が打ち出す「女性の働きやすさ」に関する施策の大半は、結婚や出産といったライフイベントに応じたものである。男女の異性婚のみが認められた社会において非常に偏っていると言わざるを得ない。近代社会が価値を置いてきた「自立した個人」を保つためには、女性として生きる場合、より堅い意志を持って努力しなければならない。加えて、法律婚をしない/できない、ひとりで生きる場合には、それ以上の運と努力が要求される。

このような現状の不平等の中で、女性として、そしてアロマンティック・アセクシャルとして生きていく場合、とにかく漠とした不安、大抵それは経済的な問題がつきまとう。今やフェミニズムのスターであるヴァージニア・ウルフが女性の自由な創造性の発揮のためには「自分ひとりの部屋と収入」を条件として挙げたが、まさしく物質的な問題である。残念ながらパブリックな空間であれプライベートな空間であれ「ひとりで過ごす」ということは非常に贅沢で特権的な行為だ。それは、頑として「家」を維持しようとする政治だけでなく、ままならなさを恋愛や性愛を通じて理解し、解決の糸口を見ようとする文化を前にしたときにも痛感する。

１９６０年代以降、セクシュアリティは解放運動中での主要な課題であり、かつ、フェミニズムにおいて女性の性欲を肯定しそれを主張することは、そのまま女性の解放を意味することとなる。その重要性は異性愛規範から外れた「性」のあり方を肯定する文脈でも非常に重要である。では、性的な欲求を解さずに自分の身体とあり方に向き合うにはどうすれば良いのだろうか。この答えは未だ模索中であるが、排他的な社会の中に自分を介入させる術は「事実」の記録——「わたし」という個人が何を望み、どのような日常を送っているのかを率直に示すことにあるのではないかと考えている。それは、ここに書いたような不安を抱えながらも、決して孤独ではなく、「ひとりで生きたい」と望む人間の姿を少しでも記録することが突破口なのではないか。

とりうみ／会社員（２０２３年11月）

＊1　経済協力開発機構（ＯＥＣＤ）による男女間賃金格差（Gender wage gap）の統計データは以下のサイトを参照。https://www.oecd.org/tokyo/statistics/gender-wage-gap-japanese-version.htm

＊2　令和４年賃金構造基本統計調査は以下を参照。（ＮＨＫ）https://www.mhlw.go.jp/toukei/itiran/roudou/chingin/kouzou/z2022/index.html

＊3　塩沢美代子、島田とみ子『ひとり暮しの戦後史――戦中世代の婦人たち――』（岩波新書、２０２１年）

# 台湾のナイトクラブで婚姻平等を体験する

燈里

クィアで病人で外国人として2017年から2022年の5年間を台湾で過ごした。マイノリティの属性を持ってひとつの社会に生きる中で、構造的に周縁化された者達の生に目を向けることで立ち上がる文化観に強く共感した。給付型の奨学金を取って進学した大学院では被抑圧者の共同体での文化活動に着目し、その現場に足を運ぶようになった。その経験が私を台北のナイトクラブへと導いてくれた。

私が台北市に引っ越した2017年、台北の公館区には伝説のナイトクラブ、Kornerがあった。台北市と新北市を隔てるように淡水河が流れている。その上を永福橋が掛かり2つの市を繋いでおり、橋を新北側に降りてすぐの所に私達が当時住んでいたアパートが、台北側に降りるとKornerがあった。自宅からKornerまでは橋で繋がれた一直線の道のりで、その距離約1キロ。徒歩で行けるこのクラブには同居人と毎週水曜日から土曜日まで毎晩通った。台北の夜は早い。店が閉まるのが20時、23時には町から人は消え、昼間の喧騒が嘘のように真っ暗な静寂に包まれる。亜熱帯特有の巨大な木々や植物が深緑の葉を悠々と伸ばしてその存在感を増す。さあ、私達の夜衝の時間だ。外に踏み出した途端、土の匂いがして湿気で艶やかに濡れた肌にお揃いのグリッターを塗る。ボトルのワインを回し飲みしながら10センチのヒールを鳴らして永福橋を渡り、Kornerで夜通し踊った後、朝日に目を瞬かせ脚を引き摺って橋を渡り自宅に戻る。私達の夜の生活はそうして煙とラメと粉を胸一杯吸って瞬く間に過ぎていった。

Kornerは2017年当時、定期パーティを開催している唯一のアングラのナイトクラブであったことから、テクノ、ハウス、トランスを中心に幅広いジャンルとスタイルのDJが新人からベテランまで勢揃いしていた。地下へ続く階段を降り、入り口で料金を払って入ると、ソファーとロッカーが並ぶロビー、そして3部屋の四角いスペースに繋がる。各部屋でDJが1人ずつ交代で回し、観客は好きな部屋を選んで踊る。会場は真っ暗な上スモークマシンが定期的に煙を吐き出し、隣に立つ人さえ見えない。唯一の明かりはＤＪ機材と時々点灯する赤い豆電球、煙草を灯すライターの炎。水、木曜日の夜は入場料無料でローカルの新手のＤＪが観客に媚びない選曲を大胆に繋いでいく。多くの人で賑わう週末の夜は、海外から大物のゲストＤＪが招聘され、地元の第一線で活躍してきたベテランのＤＪと競うように共に場を盛り上げる。Kornerに着いたらまずウォッカのショットをキメてから大声でジントニックを注文する。私達陰キャのクィアパーティの始まり始まり。

テクノのクラブは会場が暗ければ暗いほど信用できるクラブだ。周りが見えないから各々好きなようにビートに乗って踊れば良い。テクノの観客は踊りやすいＴシャツにジーパン、スニーカーのラフで暗闇に溶け込む真っ黒な服を好む。低音ビートの４つ打ちが大音量で轟き、話し声は通らないからダンスフロアでは誰とも話す必要がない。陰キャの音オタクにおあつらえ。ハウスの部屋に移動すれば雰囲気が一転、ディスコボールが天井で輝き、ディスコやクィアアンセムの２０００年代ポップスを混ぜながら皆一斉に歌い踊る。80年代ＮＹのclub kidsのように派手で艶やか、ドラァグでキャンプに着飾る。日常の抑圧から一時解放され、斬新なファッションで自己を表現し、互いを肯定し合うクィアの実験の場になっている。サイケトランスの部屋では暗闇の中を細いネオンライトが飛び交う。シンセサイザーのメロディの繰り返しと変化の少ないリズム、時折ノイズを組み合わせて観客はトランス状態に陥る。レイブ常連のヒッピー達がブカブカで破れた服を着て酩酊状態で笑顔で頭を振っている。どの部屋で1人で踊っていても、皆で同じグルーヴを共有してかけがえのない時空間に共にある一体感と喜びを全身で感じる。そこでは異質な者達が異質なまま集まり、各々の感情や欲望を肯定し、表現し、謳歌する自由と安全性があった。クラブで異質な他者と共に踊った体験は、他者の差異の享受と賛嘆、畏怖を可能にした。伝統常識一旦解体には、私達にはカルチャーが必要だった。

パーティは大抵23時から5時までやっている。楽しい夜は長い。皆踊り疲れると外の空気を吸いに地上に上がってくる。Kornerの前の道端に観客がたむろし、コンビニで買ってきたビールを片手に喋ったり、スピーカーから好きな曲を流してヴォーグを踊っている。その音楽に人々が自然に加わり、会話が始まり、新しい友人となる。Kornerでしか会えない人々の連絡先を知らずとも、また別の夜に皆Kornerに戻ってきた。当時そこには異なる属性を持つ実に多様な人間が雑多に集まっていた。音楽は文化やイデオロギーの違いを超越した普遍的な言語になり、音楽によって私達は仲を深め、そのうちパーティの合間に様々なトピックについて議論するようになった。私達は自分と異なる考えを持つ人に同意はしなかったが、その意見を正そうともしなかった。ただ、反論に耳を傾けるだけの好意と信頼を相手に抱いていたと思う。開いた心で知的好奇心を持って人に向き合い、たくさんの質問を投げかけて話を引き出し、細かく反応を返し合った。自他の境界線を保ちつつ、共感性を持って話を聞く技術を身に付けていった。対面での交流を通じて私は少しずつ異質な人々の個別の社会的、文化的背景と言語の文脈を理解するようになった。そこから感情を繊細に表現する言葉を獲得し、初めて自分のセクシャリティと病気の話をした。夜のKornerでのこのようなやり取りの繰り返しが気付けばクィアコミュニティを形成していた。クィアという枠組みに自己同一性を持ち、共同体が自分の居場所だと思えた時、呼吸が楽になって自分の体を柔らかく感じた。性が私的領域から公的領域に持ち出されることでコミュニティが生まれ、それは社会変革を指向した。クィアは周縁に追いやられる二級の他者ではなく、日の当たる場所を歩く市民だと法に認めさせるための闘いに私も加わるようになった。伝統常識一旦解体には、私達には言葉が必要だった。

クラブ文化及びダンスミュージックは、70年代のNYで有色人種のLGBTQコミュニティから生まれた。当時は同性愛者の権利を守る制度はなく、同性愛を禁じるソドミー法の下、警察がゲイバーに踏み込み捜査を行い、クィアの人々の逮捕と暴行を繰り返していた。特に警察の目の敵にされたのは、アフリカ系・ラテン系のトランスジェンダーの人々やセックスワーカー、ホームレスだった。この性、人種、階級の複合的な差別に反対して1969年6月28日に当事者達が起こした暴動がストーンウォールの反乱だった。そして1年後、この反乱を記念して開かれたデモが初めてのプライド運動であり、今尚世界中でクィアの権利を求めてプライドパレードは開催されている。社会運動と並行して、有色人種のクィアがありのままの自分を表現し祝福できる安全な避難場所としてナイトクラブは発展した。クラブで流れる音楽ジャンルはディスコもハウスもテクノも全て黒人のゲイのDJがゲイクラブや会員制のクィア向けのクラブで発展させたものだった。[*1]

台湾でも同様に、クラブは歴史的にクィアのセーファースペースであり、その文脈は今でも共有されている。台湾で初めてダンスミュージックに特化した最初のナイトクラブ、Twilight Zoneができたのは80年代後半。真っ暗な内装と当時他では聴くことができなかった音楽ジャンルで人気を博し、同じオーナーと会場で規模を拡大、

Undergroundと名前を変えて再オープンした。そのレジデントＤＪであったVictor Chengは、ゲイがクラブで踊れる場を作ろうとUndergroundでゲイパーティを始める。彼の友人でありFunkyというゲイバーでハウスのＤＪをしていたJimmy Chenを招き、パーティを共同主催した。それが１９９５年、台湾で初めて定期開催となったＬＧＢＴＱに焦点を当てたパーティシリーズ、Paradise Partyであった。２人がソウルハウスやガレージをＤＪする時間は2時間程度で、残りはより地元の台湾人に馴染みのあったチャチャやタンゴ、カラオケの時間にし、午前1時からはステージでドラァグのショーを開催していたという。[*2] Paradise Partyは２０００年代初頭に終わったが、その後台北市内にできたナイトクラブ、@liveやTexoundにＤＪやクィアの観客は移り、クィアパーティの歴史と文化は引き継がれていった。Texoundの観客はクィアを中心に女性のセックスワーカーやギャングが加わり、本来出会うことのないはずの異なるグループが肩を並べて踊っていたという。[*3] 私達が通ったKornerもこのクィアパーティの流れと客の多様性、そしてコミュニティ構築の意思を継いだナイトクラブだった。伝統常識一旦解体には、私達には自分達の小さな歴史が必要だった。

２０１８年にKornerでGhost Club TaiwanというＤＪコレクティブがパーティを開

いた際、知らない男に後ろから抱きつかれ尻を触られたことがあった。セクハラが蔓延する東京のクラブに慣れていた私は男を突き放して無視していたが、現場を偶然目撃した観客がスタッフに通報。Ghost Clubの代表だったDJ touchéが男を探し出してクラブから蹴り出し、受付に写真を共有して男を出禁にし、私に謝罪した。Kornerはこの出来事をＳＮＳで共有し、以来Korner、及びその後別のクラブで続いたクィアパーティでは、イベントの度にセーファースペースポリシーを出すようになった。「ホモフォビア、性差別、ハラスメント、レイプ、侮辱を私達は絶対に許さない。もしそのような行為に遭遇した際はスタッフに知らせて下さい」。私個人の体験では、その後５年間台湾のナイトライフで性暴力に遭遇することは一度もなかった。それは観客含めクラブにいる一人ひとりが反差別の意識を共有していたからだ。伝統常識一旦解体には、私達には介入する勇気が必要だった。

Kornerは客に惜しまれながら２０１８年6月に6年の歴史の幕を閉じた。その後KornerのオーガナイザーやレジデントＤＪコレクティブが散って台北市内で複数のクラブを立ち上げ、引き続き個性的なクィアパーティを開催した。Kornerのオーナー、Jesseが始めたPawnshopは、テクノのＤＪコレクティブ、Smoke Machineが所属しアシッドテクノを回すクラブだ。同時に、ドラァグショーであるBubble Teaやゲイセックスパーティ、GLAREというボールルーム、クィア史を学ぶ講座シリーズも毎月開催していた。Korner閉鎖後、ディープハウスのコレクティブであるBass Kitchenの代表、DJ MiniJayは、オフィスビルの地下駐車場をクラブB1に変えた。そこではクラブには珍しくステージが設けられ、DJ touchéが毎月Blushというドラァグショーやゴーゴーボーイ、BDSMのパフォーマンスを企画した。社会で表象の機会が奪われているグループが自己表現できる安全な場を作ることを目的としていた。[*4] 23 Music Roomというバーでは、毎月Byron DuvelがTaiwan Queer Trashというクィアパーティを、DJ snoozy carmichaelがSquirt partyというレズビアンパーティを始めた。どちらもクィア当事者が企画、プレイするクィアのための音楽パーティで、毎回テーマに応じたドレスコードに則って着飾り踊った。私達は毎週末クィアパーティに通った。継続的な集まりを通して台北の夜のクィアコミュニティは信頼関係を深め、ますます結び付きを強めていった。伝統常識一旦解体には、私達にはユーモア溢れる遊びと同志が必要だった。

カウンターカルチャーとして発展してきた台湾のナイトクラブは、常に複合的な差別に反対する政治の場だ。2020年のブラックライブズマター運動では、Squirt party

のＤＪでアフリカ系イギリス人のTazとChrisがいち早くTaipei is Listeningを立ち上げた。黒人差別についてまずは当事者の主張を聞く、という趣旨のこの団体は、デモやフォーラム、ワークショップを主催し、台北で５００人以上を動員する社会運動を起こした。Pawnshopでは、ドラァグクイーンのTaipei PopcornとNymphia Windがブラックでクィアなドラァグ文化のルーツに言及しチャリティーショーを開催。黒人のトランスの人々を支援するFor The Gworlsに利益を全て寄付した。２０２1年のアトランタでの銃乱射事件では、コロナによるアジア系への攻撃やフェミサイド、セックスワーカー差別に反対してデモとフォーラムが開催された。主催は台湾で差別問題に以前から取り組んできた複数の市民団体だった。Taipei is Listeningを始め、ウィメンズマーチを主催する我們台灣、90年代からセックスワーカーを支援してきた日日春關懷互助協會、女子大生が運営するウェブメディアTaiwan Mixed、そして若者のアナキスト団体New Bloomが全体の指揮を取った。事件が起こる度すぐに異なる社会運動団体が連帯して行動し、そこに多くの若者が参加したのは、アクティビスト達が日常的にクラブで繋がり、情報交換をしていたからだ。伝統常識一旦解体には、私達には集まる場所が必要だった。

ナイトクラブのクィアコミュニティは同性婚合法化のためにも一丸となって活動してきた。２００９年に婦女新知基金会が女性団体やＬＧＢＴ団体と共に多元的家族をテーマにした法案検討チームを立ち上げ、それを核に台湾伴侶権益推動連盟が発足。２０１２年７月に「婚姻平権」を含む民法改正草案を起草した。これに呼応して同年より台湾各都市でのプライドパレードは婚姻平権をスローガンに統一した。同性間の婚姻を求めるというよりも、性的指向による差別をなくし、多元的な性別や家族が平等な資格を獲得するという側面が強調された。[*5] この大きな目標の下で台湾のクィアコミュニティは連帯した。私が参加した２０１９年の台北プライドでは約20万人が共に公道を歩いた。日中はパレード、夜はクラブを梯子してアフターパーティだ。１日を通した祭りであると同時に社会運動のデモであり、私達は夜いつものクラブに戻ってきてクィアの生を祝い、婚姻平権への気持ちを新たに踊り明かした。伝統常識一旦解体には、私達には性の政治化と成熟した市民社会が必要だった。

台湾は２０１９年５月にアジアで初めて同性婚を法認する国となったが、それは容易な道のりではなく、私が台北に滞在していた期間だけでも何度も揺り戻しがあった。２０１８年にはキリスト教関係者を主体とする民間団体が下一代幸福連盟を結成し、テレビやバスの広告にプロパガンダを流すことで同性婚に対する大規模な反対キャンペーンを展開。中間派の多くが反対派に取り込まれ、同性婚を問う国民投票で推進派が大惨敗したことがあった。世代間の価値観の違いと同性愛に対する嫌悪感が顕になった出来事であり、クィアコミュニティはこの敗北に深く傷ついた。私達はその夜、Pawnshopの前に集まり、酒を飲んでシャボン玉を吹きながら、納得できるまで徹底的に議論した。反対派の主張にどのように反論するか。推進派の敗因は何か。反対派に票を入れた自分の家族とどうやって話し合うか。クィアが音楽パーティを通して作り上げてきた集団は、互いの生存を支え、生活や運動に意義を与えるものだった。差別に遭う全ての人々は、相互の支援と愛と遊びから生まれる共同的な治癒が促されるコミュニティを必要としている。歴史的に世界中で奴隷や民族マイノリティ、労働者階級、病人など抑圧された人々は、支配集団の監視のない環境で仲間同士集まり、自分達が置かれた状況を理解し、それに対処する計画を練ってきた。市民として暴力的な社会に周縁から参与するためには、まずは仲間内だけでの集まりを必要とする。[*6] 私達はコミュニティの誰かを傷付けた暴力や抑圧構造に対して集団で怒った。同じ社会に生きる市民同士、他人事にしない姿勢を大切にしていた。1人が孤独に黙って壊れてしまわないように。外の世界で怒りを持って闘い、そして安全なコミュニティに戻ってきて回復し、次の運動に備える。伝統常識一旦解体には、私達には抑圧からの解放と治癒の両方が必要だった。クラブを出て朝日を背に帰路につく時、ベルベットのように私達を厚く覆っていた孤独は水平線の彼方に消えたように感じた。仲間とクラブで築いた信愛が何度も何度も周縁から世界に関わっていくレジリエンスを私に与えてくれた。

あかり／アーティスト（２０２３年11月、２０２４年４月加筆）

参照

＊１ "An alternate history of sexuality in club culture"https://ra.co/features/1927

＊２ "The '90s and 2000s LGBT Party Scene in Taiwan: A Conversation with Victor Cheng"https://www.electricsoul.com/magazine/the-90s-and-2000s-lgbt-party-scene-in-taiwan-a-conversation-with-victor-cheng

＊３ "The History of Queer Parties in Taiwan: An Interview with DJ Rainbowchild"https://www.electricsoul.com/magazine/the-history-of-queer-parties-in-taiwan-an-interview-with-dj-rainbowchild

＊４ "'Our Competitor is Our Past Self': An Interview with Lloyd Chiu of BI"https://www.electricsoul.com/magazine/interview-lloyd-chiu-bi

＊５ 鈴木賢『台湾同性婚法の誕生 アジアLGBTQ+燈台への歴程』（日本評論社、２０２２年）

＊６ エリック・クリネンバーグ著、藤原朝子翻訳『集まる場所が必要だ――孤立を防ぎ、暮らしを守る「開かれた場」の社会学』（英治出版）

# 働きながら性別移行した私の経験

おいも

30歳から始まった私の女性としての暮らしも来年で10年を迎える。はじめは、ぎこちなくて、頑張って理想の女性像を演じようとしていたけど、今ではすっかり慣れて自然に過ごせるようになってきた。最近では、自分がむかし、男性であったことを思い出す時間がどんどん短くなってきているのを感じる。思い返せば、これまでの人生の中で、自分が苦しめられていた悩みの多くは、家父長制を基盤にした社会のジェンダーロールによってもたらされていたものだったと思う。

成人し、学生生活を終えたトランスジェンダーがぶち当たる大きな壁の一つが「就職」だ。私が大学を卒業した時代は、ＬＧＢＴＱなんて言葉はまだなく（あったのかもしれないが今のように市民権を得た言葉ではなかった）、性的少数者は「ホモ」、「レズ」、「ニューハーフ」などと呼ばれ、テレビや雑誌でたまに紹介される世間からはみ出した存在だった。トランスジェンダーとして性別移行なんかしてしまったら、選択できる職業の幅が一気に狭まり、下手をすると暮らしていけなくなる。そんな恐怖を常に抱いていた。また、最近は変わってきたように感じるが、当時の日本はまだ新卒信仰が異常に強く、新卒採用でいい企業に正社員で就職しなければ、その後はチャンスがないという雰囲気があった。

自分が性的少数者であることも世間に知られてはいけないし、この先、両親から向けられる「長男として地元に帰って、ゆくゆくは結婚して子どもを育てながら親の面倒をみてほしい」という暗黙のプレッシャーにうまく応えることができないのは明白で、せめて東京で名の通った会社に入って、仕事を頑張っている息子を演じることで、親のプレッシャーから逃れたかった。こうして22歳の私は、一般男性として新卒で東京の会社に就職する道を選んだ。

幼い頃から「男」として、「長男」として周囲から求められる暗黙のプレッシャーにストレスを感じていた。幼少期は両親が共働きだったため、祖父母の家で過ごすことが多かった。年の近いいとこも、近所で遊んでくれる年の近い子どもたちも女の子。女の子に囲まれて育ったせいか、おままごとが好きで、かわいいものが好き。内気で男の子たちともうまく馴染めなくて、いつも、面倒見の良い女の子の後ろで大人しくしているような子どもだった。そんな私に危機感を覚えた両親は「男らしくしなさい」と口癖のように私を注意し、監視した。典型的な昭和一桁台生まれの祖母は、いつも長男の私をあからさまに優遇した。幼い私はなぜそんな「えこ贔屓」が行われるのかわからなかった。そのことで言い争う祖母と叔母の姿を何度も見ていた私は自分が男に生まれてしまったことを責めた。「なんで自分は女の子に生まれなかったんだろう」「女の子になりたい」。ずっとそう思いながら大きくなった。

成長して大人になればなるほど、社会から求められるジェンダーロールは強固になっていく。幼い頃に抱いた性別への違和感は日に日に大きくなり、押さえつけようとすればするほど苦しくなり、社会人になって数年後、ある日とうとう心と身体のバランスを崩してしまった。その日から、両親や友人にカミングアウトを始め、ジェンダークリニックに通ってホルモン治療を開始したりして、表向きは男性として生活しつつ、少しずつ性別移行の準備を進めていった。

社会人の性別移行には、いくつか方法があると思う。理想は、一度仕事を辞めて、性別を移行してまた新しい仕事に就くことだった。男性時代の人間関係をリセットして女性として新しい人生を生き直せる。でも、私は在職したまま性別移行する道を選んだ。新しく買い揃える必要がある衣類やメイク道具、性別適合手術など、とにかくお金と時間がかかるし、果たして性別移行した人間を雇ってくれるところがあるのか不安だった。そうこうしているうちに数年が経ち、東京オリンピックの開催が決まり、「ダイバーシティ」という言葉が叫ばれるようになった。そんな世の中のムードにも後押しされ、そろそろいけるかな？　と思っていた矢先、部署移動の話が出た。

そこで会社に掛け合って、出向していた会社から本社に戻るタイミングで、私は公式に女性として働けることになった。会社は私の性別移行を全面的にサポートしてくれた。とはいえ、社内で性別移行した人は私が初めて。完全に手探り状態の中で一緒に協力しながら準備を進めていった。

「今日から女性として、働くことになりました。改めてどうぞよろしくお願いします」という挨拶と共に、私の女性としての初日はスタートした。これまでほとんど女性装をしたことがなかったから、急ごしらえで用意した慣れないスカートとヒールのある靴でみんなの前に立つのは本当に緊張した。朝礼の時、本社で働く３００人を前に事情を説明した。大勢の人の前でカミングアウトするのは楽ではなかったけど、私は業務上、社内のほとんどの部署の人とコミュニケーションを取らなければいけなかったので、個別に何回も事情を説明してまわるよりも、一回で終わらせた方が楽だと思った。

全員の前で挨拶するのは私が希望してやったことだけど、いざみんなの前に立つと足がすくんだ。みんなの反応を見るのが怖くて、「ここにいるのはみんなジャガイモだ」と自分に言い聞かせて、遠くの壁一点をみながらしゃべった。朝礼が終わり席に戻ると、新しい名前の入った名刺とメールアドレスが用意されていて、新しい人生が始まったことに実感が湧いてきた。「ああ、ついに踏み出したんだな」。文字通り、期待と不安がいっぱいのスタートとなった。周囲の人も、自分自身も慣れるのに時間はかかったものの、その後幸いにも大きなトラブルもなく、我ながら私の在職トランスはうまくいったと思う。

いざ女性として働いてみると、世間は全く違って見えた。まず、男性が優しい。力仕事やハードな仕事を率先して代わりにやってくれる。残業していたら心配してくれる。

ご飯を奢ってくれる。男性時代、自分が率先してその役割を担わないといけないと負担に思っていたことから全て解放されてとても嬉しかった。女性らしさの押し付けに苦しむ女性も多いけど、男性らしさのプレッシャーもなかなかしんどいのだ。でも、そんな喜びも束の間。次第に男女の格差を実感するようになった。

女性として働きはじめたタイミングと昇進のタイミングがたまたま重なり、私は管理職になった。ある日、役職者の集まる会議で人事制度について議論が行われていた。新人管理職の私は末席でその議論を黙って聞いていた。詳細な内容は忘れてしまったけど、子育て中の女性社員の処遇に対してどこかめんどくさそうな、ネガティブなニュアンスで会話が進行していた。聞いていて不快な気持ちになった私はその時はっと気づいた。会議に出席していたメンバーで女性は私だけだった。しかもつい最近まで男性だった私だけだ。こんなおじさん（失礼！）だけが集まって会社の重要なことを決めているから、男性に有利な社会が出来上がるのか！　社会の構造的問題を肌で感じた瞬間だった。女性管理職であれ、議員であれ女性を意思決定の場に送り出すことがどれだけ重要なことであるかを身をもって学んだ。

当時、とある業界のコンテストやアワードを運営する仕事を担当していた。そんな出来事があった後だったから、審査員やパネリストの男女比率はなるべく同じになるよう意識して選ぼうとしていた。ただ、そもそも審査員に相応しい役職や実績のある人の中に女性が圧倒的に少なかった。女性を入れたくてもそもそも適任者がいないのだ。結果的に少し遠い業界から招聘したり、若くて注目されている方を呼ぶなどしてなんとか調整していたものの、業界の中での男女格差を実感する出来事であった。男女雇用機会均等法ができてかなり時間が経っていて、採用される時は男女の差を感じなかったのに、気づいたらこんなに差ができていた。いや、最初からあったのに若かった自分は気が付かなかった。そして、おそらく自分が男性のままだったら、当たり前すぎてそのことに気づくことすらなかったかもしれない。

一昔前のフェミニストというとおじさんたちの中で、耳障りの悪いことをぎゃあぎゃあ吠えているおばさん（ほんとに失礼！）というイメージがあった。当時は理解できなかったけど、今ならわかる。ぎゃあぎゃあ吠えでもしないと、女性の声を聞いてもらえなかったのだと。

以前、とあるフェミニズムの研究者の先生のお話を伺う機会があった。女性の教育がテーマで、女子大の意義についての話だった。私は、男女平等を目指すのにあえて女性だけ集めて教育を行うのはむしろ不平等になるのでは？　という疑問があり、それを質問してみた。すると先生はこう教えて下さった。「男女共学の空間だとどうしても男性が前に出て、女性が自分の意見を言ったり、前に出ていく機会が少なくなる。だから、女性だけの安全な空間で自主性や積極性を育み、自立した女性を育てることに意義があるのだ」と。

その話を聞いてまたもはっとした。私は幼い頃から、「男だから」という理由で積極性を求められたり、さまざまなことを経験させられてきた。それが常にプレッシャーになり、ストレスを抱えていた。そういうことを求められない女の子が羨ましかった。でも、大人になって結果的に「男だから」と経験させられてきたさまざまな出来事が社会で生きるための糧になっているのを感じる。こんなところにも無意識のうちに男女の不平等は隠れていたのだ。

男性と女性、両方の性別を体験してみて、お互いにそれぞれ辛い部分や主張があることを実感した。そして同時に、それらはあまりにも感覚的で、主観的で、目に見えない経験値や感覚値に基づくものだから、お互いに理解しあうのがとても難しいとも感じた。

だからこそ、一人ひとりが経験し感じた「ものがたり」を発信したり、意見を主張していくことが大事なんだと思う。もちろん傾聴も。一つ一つの行動は小さく意味がないのでは、と心が折れそうになることもあるけど、これらの小さな声が積み重なって大きなうねりとなり、やがて世の中を変えていくことに繋がると信じている。

これからの世の中は、性別で役割を規定するのではなく、誰もが平等にいろんな物事を経験し自分の人生を自由に選択できるようになって欲しいと思う。今は自分の人生に満足しているけれど、家父長制にうまく馴染めなかったものとして、自分と同じように悩む人たちがいなくなったら良いなと切に願う。気づいたら私ももういい大人だ。これからは一人の責任ある大人として、世の中を変えるためにできることを少しずつ実践していこうと思う。

おいも／会社員（2024年5月、書き下ろし）

# あとがき

近年の『仕事文脈』の中から、ジェンダーやセクシュアリティ、フェミニズムにまつわる寄稿を一冊にまとめる。その企画が動き出した時、これらのテーマをまとめる言葉として挙がったキーワードが「(反)家父長制」だった。男女の社会的ポジションや賃金格差。女性や性的マイノリティに対する差別やバッシング。進まない夫婦別姓や同性婚、性別役割分担などの「伝統的」で窮屈な家族像(その大元には廃止されたはずの「家制度」の名残が、そして天皇制がある)。問題は山積みで、そのうちのどれに苦しんでいるかは人によって異なる。でも、「何に苦しめられているのか」を問うてみると、そこには同じ構造がある。それをしっかりと名指していくことが重要だと考えた。

編集を進めながら、家父長制は網に似ていると思った。社会のシステムから個人の内面に至るまで、隅々まで張り巡らされた網。伸縮性があり、絡め取られていることに気付かせない網。しなやかで巧妙で、ただ力を込めて拳を振り下ろすだけでは空を切ったような手応えのなさを抱かせる網。

どうすればいいのだろう？　打開策の一つとなるのは、網目を細かく見ていくことだ。抽象的に思えるその構造を、具体的なレベルに引きずりだす。そうすると、ちゃんと叩けるようになる。

『仕事文脈』本誌から収録された寄稿はもともと家父長制をテーマにしたものではなかったが、いくつかの原稿にはすでにこの言葉が使われていた。使われていない原稿も、家父長制を明確に意識した新たな寄稿や加筆された寄稿とともに収録することで新しい文脈が生まれた。それらはどれも、時に私的な経験を交えながら、個別具体的な話をしていた。

ジェンダー平等を阻み、性差別を生み出す家父長制。そんなものはもういらない。既存の網を壊して、新たな社会を編んでいく。

仕事文脈編集部　小沼理

初出一覧

小さな言葉
『仕事文脈ｖｏｌ・17』特集　ことばはどこに行く（２０２０年11月）

Ｓｈｉｔが溢れるインターネット空間／「伝え方が悪かったかな、勘違いさせてごめん！」

『仕事文脈ｖｏｌ・18』特集　Ｓｈｉｔなムダ（２０２１年５月）

文学の中の「オンナ・コドモ」―あるいは家庭―の領域の仕事／シルバニアファミリーから考える
『仕事文脈ｖｏｌ・20』特集　家族×仕事（２０２２年５月）

政治家だけじゃない　私たちだって主役であるべき／安倍晋三という政治家が力を持った時代、女性や家族、性的マイノリティをめぐる政策はどう展開されたのか
『仕事文脈ｖｏｌ・21』特集　政治、日々（２０２２年11月）

空白のビルボードを見つめて
『仕事文脈ｖｏｌ・22』特集　通勤は続く（２０２３年５月）

「伝統」を解体する際に／美術の場でセーファースペースをつくる／結婚願望がゼロになるまで／びわこんどーむくんがゆく。／点が線になるまで、線が面になるまで／ひとりで生きたい／台湾のナイトクラブで婚姻平等を体験する

『仕事文脈ｖｏｌ・23』特集　伝統常識一旦解体（２０２３年11月）

## プロフィール

小沼理

1992年、富山県出身、東京都在住のライター・編集者。著書に『共感と距離感の練習』（柏書房）、『1日が長いと感じられる日が、時々でもあるといい』（タバブックス）。

濱田真里

専門は政治分野におけるハラスメント。研究内容を元に、2021年に女性議員・候補者のサポート団体Stand by Womenを設立。2022年に子育て中の候補者をサポートする「こそだて選挙ハック！プロジェクト」を始動。2023年に日本初の議員や候補者向けのハラスメント相談窓口を設立。議会向けハラスメント研修を多数実施。著書に『女性議員を増やしたいＺＩＮＥ』（タバブックス）。

小林美香

写真研究者　写真やジェンダー表現に関する講義、ワークショップの企画、各種団体・企業の研修、執筆・翻訳活動を行う。国際写真センター、サンフランシスコ近代美術館、東京国立近代美術館で研究、展覧会企画に従事。現在、東京造形大学・九州大学非常勤講師。著書に『ジェンダー目線の広告観察』（現代書館）など。

ニイマリコ

１９８４年生まれ。ミュージシャン。ＨＯＭＭヨ（活動休止中）／ルー・ガルーのVo.Gt.。トークショー、作詞、執筆など、やみくもに動いている。

小田原のどか

１９８５年宮城県仙台市生まれ。彫刻家・評論家、芸術学博士（筑波大学）。主な展覧会に「ここは未来のアーティストたちが眠る部屋となりえてきたか？　国立西洋美術館65年目の自問　現代美術家たちへの問いかけ」（国立西洋美術館、２０２４年）など。主な単著に『近代を彫刻／超克する』（講談社、２０２１年）『モニュメント原論：思想的課題としての彫刻』（青土社、２０２３年）。『藝術新潮』『東京新聞』にて評論を連載。

ケルベロス・セオリー

ケルベロス・セオリーは「セーファースペース」をフェミニズム、クイアスタディーズの視座から実践するアーティストによるコレクティブ、またかれらにより企画される展覧会の名前である。展覧会を通じ、多様なバックグラウンドを持つ人々が共生するためのセーファーな展示環境作り、アクセシビリティの提案を行っている。

Instagram @cerberus_theory

小川公代

専門は、ロマン主義文学、および医学史。著書に、『翔ぶ女たち』『ケアの倫理とエンパワメント』『ケアする惑星』（いずれも講談社）、『世界文学をケアで読み解く』（朝日新聞出版）、『ゴシックと身体——想像力と解放の英文学』（松柏社）、『感受性とジェンダー——〈共感〉の文化と近現代ヨーロッパ』（共編、水声社）、訳書に、サンダー・L・ギルマン『肥満男子の身体表象』（共訳、法政大学出版局）などがある。

浪花朱音

1992年鳥取県生まれ。フリーランスの編集者、ライター。結婚、妊娠、出産、育児といった日常の中でジェンダー的問題について考えています。

笛美

広告業界で働くかたわらSNSでフェミニズムや社会問題について発信。著書に『ぜんぶ運命だったんかい　おじさん社会と女子の一生』（亜紀書房）がある。Instagram/Twitter/TikTok　@fuemiad

和田静香

1965年千葉県生まれ。音楽評論家／作詞家の湯川れい子氏のアシスタントを経てフリーのライターに。主にエンタメ系を書いてきたが次第に自身の迷走人生がテーマに。『コロナ禍の東京を駆ける〜緊急事態宣言下の困窮支援日記』（岩波書店／共著）で貧困ジャーナリズム賞受賞。近著に『時給はいつも最低賃金、これって私のせいですか？　国会議員に聞いてみた。』『選挙活動、ビラ配りからやってみた。「香川1区」密着日記』（共に左右社）。

清田隆之
文筆業、桃山商事代表。ジェンダー、恋愛、人間関係、カルチャーなどをテーマに様々な媒体で執筆。朝日新聞be「悩みのるつぼ」では回答者を務める。著書に『さよなら、俺たち』『自慢話でも武勇伝でもない「一般男性」の話から見えた生きづらさと男らしさのこと』『おしゃべりから始める私たちのジェンダー入門』などがある。X（旧Twitter）→@momoyama_radio

山口智美
文化人類学者。日本の社会運動を研究テーマとし、70年代から現在に至るフェミニズム運動や、2000年代以降の右派運動などを追いかけている。

清水美春
滋賀県生まれ。立命館大学大学院先端総合学術研究科博士課程。びわこんどーむプロジェクト主催。セクシュアリティ教育アドバイザー。元公立高校教諭（保健体育科）として、進学校、青年海外協力隊（ケニア派遣エイズ対策）、夜間定時制、滋賀県教育委員会などで計19年間勤務。

BIWACON.com運営。

戸田真琴
文筆家・映画監督・元AV女優。「いちばんさみしい人の味方をする」を理念に、文筆活動・映像制作等で活動中。著書に『あなたの孤独は美しい』(竹書房)、『人を心から愛したことがないのだと気づいてしまっても』(角川書店)、『そっちにいかないで』(太田出版)、監督作に映画『永遠が通り過ぎていく』がある。

和田拓海
１９９７年兵庫県生。２０２３年より本屋メガホンを主宰。社会的マイノリティについて書かれた本を取り扱い、自らもＺＩＮＥを制作販売しながら「小さな声を大きく届ける」ことを目指す。本屋メガホン(https://booksmegafon.stores.jp/)

とりうみ
１９９５年生まれ。神奈川県出身。美術史の修士号を取得し、現在は会社員をしながら在野で研究を続ける方法を模索中。自身のセクシュアリティを起点に社会や文化を語るｚｉｎｅ『A is OK.』を制作している。配信ドラマのビンジ・ウォッチングが趣味。

燈里
１９９２年茨城県出身。翻訳者、執筆者、作曲家、コミュニティ・オーガナイザー。

おいも
トランス女性。ふつうの人とちょっと違う人生をどう生きるか、悩みもがきながら暮らす人。

惣田紗希（装丁）
イラストレーター・グラフィックデザイナー。１９８６年生まれ栃木県出身在住。桑沢デザイン研究所卒業。デザイン会社にて書籍デザインに従事したのち、２０１０年よりフリーランス。音楽関連のデザインや書籍装丁を手掛けるほか、イラストレーターとして活動中。

super-KIKI（装画）
社会に対する疑問やメッセージを、ぬいぐるみの横断幕やネオンサイン風のプラカード、衣服などをＤＩＹで制作し表現する。性表現の探求からInstagramでセルフィーの投稿も。バーンアウトの経験からいかに持続的に声をあげられるかを模索し、身に付けられる政治的アイテムを日々制作中。@super.kiki

# 仕事文脈

しごとぶんみゃく

---

すべてのゆかいな仕事人にささげるリトルマガジン、『仕事文脈』。気になる働き方、ないようである仕事、なんとかなる生き方など、仕事のあれこれをとりあげる小さい雑誌。2012年11月創刊、年2回春と秋に刊行。
http://tababooks.com/tbinfo/aboutshigotobunmyaku

# 家父長制はいらない
## 「仕事文脈」セレクション

2024年7月11日　初版発行

編　仕事文脈編集部
装幀　惣田紗希
装画　super-KIKI
編集　小沼理
発行人　宮川真紀
発行　合同会社タバブックス
東京都世田谷区代田6-6-15-204　〒155-0033
tel : 03-6796-2796　fax : 03-6736-0689
mail : info@tababooks.com
URL : http://tababooks.com/

組版　有限会社トム・プライズ
印刷製本　中央精版印刷株式会社

ISBN978-4-907053-70-3　C0095

## シリーズ 3/4

3/4くらいの文量、サイズ、重さの本。
3/4くらいの身軽さ、ゆとりのある生き方をしたい人へ。

各 1400円＋税

### 01 バイトやめる学校
**山下陽光**

リメイクブランド「途中でやめる」の山下陽光が校長の「バイトやめる学校」。バイトしないで暮らしていくための理論と実践を紹介

### 02 あたらしい無職
**丹野未雪**

非正規雇用、正社員、アルバイト、フリーランス。
東京で無職で生きる、39歳から41歳の日々のはなし

### 03 女と仕事
**「仕事文脈」セレクション**

『仕事文脈』「女と仕事」特集号を中心に、女性の書き手の文章を再編集。見なかったことにされているけど、確実にある女と仕事の記録

04

## 田舎の未来 手探りの7年間とその先について

さのかずや

実家の父親が体調をくずして仕事をやめたことをきっかけに、「田舎の未来」のことを考え、実践し続けた若者の7年間

05

## くそつまらない未来を変えられるかもしれない投資の話

ヤマザキOKコンピュータ

投資家でパンクスの筆者の視点で見る経済、社会、お金。楽しい未来を自分の意思で選ぶための投資という新しい提言

## へんしん不要

餅井アンナ

心も体も防御力低め、落ち込みがちな日々を宛先のない手紙に書き続けることで見つけた、あたらしい景色と生きる自信